REGARDER ÉCOUTER LIRE

OUVRAGES DU MÊME AUTEUR

LA VIE FAMILIALE ET SOCIALE DES INDIENS NAMBIKWARA
(Paris, Société des Américanistes, 1948).

LES STRUCTURES ÉLÉMENTAIRES DE LA PARENTÉ
(Paris, Presses universitaires de France, 1949.
Nouvelle édition revue et corrigée, La Haye-Paris,
Mouton et Cⁱᵉ, 1967).

RACE ET HISTOIRE
(Paris, Unesco, 1952).

TRISTES TROPIQUES
(Paris, Librairie Plon, 1955. Nouvelle édition revue et corrigée, 1973).

ANTHROPOLOGIE STRUCTURALE
(Paris, Librairie Plon, 1958).

LE TOTÉMISME AUJOURD'HUI
(Paris, Presses universitaires de France, 1962).

LA PENSÉE SAUVAGE
(Paris, Librairie Plon, 1962).

MYTHOLOGIQUES * LE CRU ET LE CUIT
(Paris, Librairie Plon, 1964).

MYTHOLOGIQUES ** DU MIEL AUX CENDRES
(Paris, Librairie Plon, 1967).

MYTHOLOGIQUES *** L'ORIGINE DES MANIÈRES DE TABLE
(Paris, Librairie Plon, 1968).

MYTHOLOGIQUES **** L'HOMME NU
(Paris, Librairie Plon, 1971).

ANTHROPOLOGIE STRUCTURALE DEUX
(Paris, Librairie Plon, 1973).

LA VOIE DES MASQUES
(Genève, Éditions d'Art Albert Skira, 2 vol., 1975. Édition revue, augmentée
et allongée de trois excursions, Paris, Librairie Plon, 1979).

LE REGARD ÉLOIGNÉ
(Paris, Librairie Plon, 1983).

PAROLES DONNÉES
(Paris, Librairie Plon, 1984).

LA POTIÈRE JALOUSE
(Paris, Librairie Plon, 1985).

HISTOIRE DE LYNX
(Paris, Librairie Plon, 1991).

En collaboration :

Georges Charbonnier, *ENTRETIENS AVEC CLAUDE LÉVI-STRAUSS*
(Paris, Plon-Julliard, 1961).

*DISCOURS DE RÉCEPTION D'ALAIN PEYREFITTE
A L'ACADÉMIE FRANÇAISE ET RÉPONSE DE CLAUDE LÉVI-STRAUSS*
(Paris, Gallimard, 1977).

*DISCOURS DE RÉCEPTION DE GEORGES DUMÉZIL
A L'ACADÉMIE FRANÇAISE ET RÉPONSE DE CLAUDE LÉVI-STRAUSS*
(Paris, Gallimard, 1979).

(Avec Didier Eribon) *DE PRÈS ET DE LOIN*
(Paris, Éditions Odile Jacob, 1988).

DES SYMBOLES ET LEURS DOUBLES
(Paris, Librairie Plon, 1989).

CLAUDE LÉVI-STRAUSS
de l'Académie française

REGARDER ÉCOUTER LIRE

PLON
76, rue Bonaparte
Paris

© Librairie Plon, 1993
ISBN 2-259-02715-6

En regardant Poussin

I

Proust compose la sonate de Vinteuil et sa « petite phrase » à partir d'impressions ressenties en écoutant Schubert, Wagner, Franck, Saint-Saëns, Fauré. Quand il décrit la peinture d'Elstir, on ne sait jamais s'il pense plutôt à Manet, à Monet, ou bien à Patinir. Même incertitude sur l'identité des écrivains rassemblés dans le personnage de Bergotte.

Ce syncrétisme étranger au temps va de pair avec un autre, qui convoque et confond dans le moment présent des événements ou incidents de dates différentes. Par ses propos, ses réflexions, le narrateur paraît avoir dans la même page tantôt huit, tantôt douze, tantôt dix-huit ans. Ainsi lors du séjour avec sa grand-mère à Balbec : « *Notre vie étant si peu chronologique.* »

Très bonne page là-dessus de Jean-Louis Curtis : « *Il n'y a ni temps perdu ni temps retrouvé dans* La Recherche, *il n'y a qu'un temps sans passé et sans futur, qui est le temps propre de la création artistique. C'est pourquoi la chronologie dans* La Recherche *est si floue, si élusive, si insaisissable, tantôt extensible, tantôt court-circuitée, tantôt circulaire, jamais linéaire, et, bien entendu, jamais datée* [...] *On se demande si les enfants qui jouent aux Champs-Elysées en sont encore à l'âge du cerceau ou déjà à celui de la première cigarette clandestine. »*

Vue sous cet angle, la mémoire involontaire ne s'oppose pas simplement à la mémoire consciente, celle qui renseigne sans faire revivre. Ses interventions dans la trame du récit compensent, rééquilibrent un procédé de composition qui altère systématiquement le cours des événements et leur ordre dans une durée qu'en fait Proust traite avec désinvolture : *« Quelques-uns voulaient que le roman fût une sorte de défilé cinématographique des choses. Cette conception était absurde. Rien ne s'éloigne tant de ce que nous avons perçu en réalité qu'une telle vue cinématographique. »*

Les raisons de ce parti pris ne sont pas seulement, peut-être pas surtout, d'ordre philosophique ou esthétique. Elles sont indissociables d'une technique. *La Recherche* est faite de morceaux écrits dans des circonstances et des époques différentes. Il s'agit pour l'auteur de les disposer dans un ordre satisfaisant, je veux dire conforme à la conception qu'il se fait de la véracité, au moins dans les débuts ; mais de plus en plus difficile à respecter au fur et à mesure que la composition avance. En certaines occasions il faut travailler avec des « restes », et les disparates deviennent plus visibles. A la fin du *Temps retrouvé*, Proust compare son travail à celui d'une couturière qui monte une robe avec des pièces déjà découpées en forme ; ou, si la robe est trop usée, la rapièce. De la même façon, il aboute dans son livre et colle des fragments les uns aux autres *« pour recréer la réalité, en emmanchant, sur le mouvement d'épaules de l'un, un mouvement de cou fait par un autre »*, et bâtir une seule sonate, une seule église, une seule jeune fille, avec des impressions reçues de plusieurs.

Cette technique de montages et de collages fait de l'œuvre

le résultat d'une double articulation. Je détourne l'expression de son emploi linguistique. L'extension me semble pourtant légitime en ceci que les unités de premier ordre sont déjà des œuvres littéraires, combinées et agencées pour produire une œuvre littéraire d'un rang plus élevé. Ce travail diffère de celui qui procède au moyen de projets, d'esquisses refondues dans la rédaction définitive, au lieu que, dans l'état dernier de l'œuvre, les pièces de la mosaïque restent reconnaissables et conservent leur individualité.

II

Cela existe aussi en peinture. Meyer Schapiro a le premier, je crois, attiré l'attention sur les différences d'échelle flagrantes entre les personnages de la *Grande Jatte*. La raison n'en serait-elle pas que Seurat aurait conçu ses figures, ou groupes de figures, comme des ensembles indépendants, et les aurait ensuite disposés les uns par rapport aux autres (probablement après des essais successifs constituant autant d'expériences sur l'œuvre) ? D'où la « magie », comme dirait Diderot, très particulière de la *Grande Jatte* qui, dans un lieu public destiné à la promenade, juxtapose des personnages ou des groupes de personnages figés dans leur isolement et qui ne semblent même pas conscients de la présence les uns des autres ; prenant place au nombre de « *ces choses muettes* » dont, selon Delacroix, Poussin disait qu'il faisait profession. Ce qui imprègne le tableau d'une extraordinaire atmosphère de mystère.

Elle eût rebuté Diderot : « *On distingue*, écrit-il, *la composition en pittoresque et en expressive. Je me soucie bien que l'artiste ait disposé ses figures pour les effets les plus piquants de lumière, si l'ensemble ne s'adresse point à mon âme ; si ces personnages y sont comme des particuliers qui s'ignorent dans une promenade publique* [...] » : description anticipée, dirait-on, et rejet sans appel de ce que Seurat a fait exactement dans la *Grande Jatte...*

Ce procédé de composition était déjà présent chez Hokusai. Plusieurs pages des *Cent Vues du mont Fuji* attestent que, comme Proust ses paperoles, il a remployé, en les juxtaposant, des détails, fragments de paysage probablement dessinés sur le motif, notés dans ses carnets, puis reportés dans la composition sans prendre égard aux différences d'échelle.

Poussin surtout illustre le procédé de la double articulation, d'une tout autre manière certes, mais qui explique ses figures « minéralisées » un peu comme celles de la *Grande Jatte* (son génie, dit Philippe de Champaigne, « *avait beaucoup d'ouverture pour le solide* ») ; et qu'à son sujet, Diderot ait pu parler de la « naïveté » de ses figures, « *c'est-à-dire* [qui sont] *parfaitement et purement ce qu'elles doivent être* » ; et Delacroix, d'un primitivisme où « *la franchise de l'expression n'est pas gâtée par aucune habitude d'exécution* » ; enfin qui, « *par son indépendance absolue de toute convention* » fait de lui « *un novateur de l'espèce la plus rare* ».

En regardant Poussin on a constamment l'impression qu'il réinvente la peinture ou, à tout le moins, qu'en deçà du XVIᵉ siècle qui le vit naître, il tend la main aux maîtres du Quattrocento, en premier lieu Mantegna (quand au lycée, en sixième – époque où mon père m'emmenait souvent au Louvre –, j'eus comme sujet de rédaction de décrire mon tableau préféré, je choisis le *Parnasse*).

Et même encore plus loin, car l'imagination de Poussin offre parfois cette ingénuité, sublimée certes par son génie, dont à la fin du siècle dernier Rimbaud recherchait la saveur abâtardie dans les peintures foraines. Ainsi, dans *Vénus montrant ses armes à Énée* du musée de Rouen, cette déesse qui flotte à portée de main dans les airs semble avoir été conçue et exécutée à part, puis rapportée telle quelle sur la toile en toute simplicité. Ou bien encore, dans *Apollon amoureux de Daphné* qui est au Louvre, la dryade confortablement installée (on s'en étonne) entre les branches d'un trop petit chêne comme si c'était un canapé. Aussi, dans *Orion aveugle*, la posture bourgeoise de Diane accoudée sur son nuage, comme, dans un salon, sur un manteau de cheminée.

Peut-être Delacroix pensait-il à des choses de ce genre quand il critiquait « *une sécheresse extrême* [des] *figures sans lien les unes avec les autres et* [qui] *semblent découpées* » – ce qui correspond dans l'espace à ce qu'on observe dans le temps chez Proust. Défauts aux yeux de Delacroix, et qu'il rattache, certainement avec raison, au fait que les tableaux de Poussin révèlent ce que j'ai appelé une double articulation : la perfection, « *le Poussin ne l'a jamais cherchée et ne la désire pas ; ses figures sont plantées les unes à côté des autres comme des statues ; cela vient-il de l'habitude qu'il avait, dit-on, de faire des petites maquettes pour avoir les ombres justes ?* », « *[...] petites maquettes éclairées par le jour de l'atelier.* »

En 1721, Antoine Coypel regrettait lui aussi que manquât au rendu des figures de Poussin « *un goût plus naturel, moins sec et plus aisé, dont les linges mouillés et les mannequins l'ont sans doute éloigné* ». Ingres, mieux avisé, notera de son côté : « *Se faire une petite chambre à la Poussin : indispensable pour les effets.* »

(Dans les propos prêtés à Poussin, on relève un parallèle entre le langage articulé et la peinture, ébauche de la théorie linguistique de la double articulation : « *En parlant de la peinture, dist [...] que les vingt-quatre lettres de l'alfabet servent à former nos parolles et exprimer nos pensées, de mesme les linéamens du corps humain à exprimer les diverses passions de l'ame pour faire paroistre au dehors ce qu'on a dans l'esprit.* »)

On sait que Poussin modelait volontiers la cire ; au début de sa carrière d'après les antiques, et même pour reproduire en bas-relief des parties de tableaux des grands maîtres. Plusieurs témoins racontent qu'avant d'entreprendre un tableau, Poussin confectionnait des petites figurines de cire. Il les disposait sur une planchette dans les attitudes correspondant à la scène qu'il imaginait, il les drapait avec du papier mouillé ou un taffetas mince, formait les plis à l'aide d'un bâtonnet pointu. C'est avec cette maquette sous les yeux qu'il commençait à peindre. Des trous pratiqués dans les parois de la boîte enfermant le dispositif lui permettaient d'éclairer celui-ci par-derrière ou sur les côtés, de contrôler par-devant la lumière et de vérifier les ombres portées. Nul doute qu'il ne cherchât aussi à placer et à déplacer les figurines pour arrêter la composition de la scène dont il construisait ainsi le modèle réduit.

Le procédé n'était pas inconnu de ses devanciers. Plusieurs l'avaient effectivement pratiqué, mais, à l'époque de Poussin, nous dit Anthony Blunt, il était tombé en désuétude parce qu'il demandait trop de temps. Il est significatif que Poussin l'ait repris et appliqué avec une minutie dont témoignent nos sources. Chez aucun peintre, en tout cas, on ne perçoit aussi nettement l'emploi systématique de la maquette tridimensionnelle, sa présence derrière le tableau achevé. Ses figures semblent moins peintes sur la surface de la toile que sculptées dans son improbable épaisseur.

Méthode de composition si parfaitement assimilée qu'elle en devient presque un mode de pensée, auquel on doit aussi ces paysages naturels ou urbains très médités, qui invitent le spectateur à s'y enfoncer et proposent à son choix plusieurs itinéraires : « *Il semble qu'on chemine dans tous les pays qu'il représente* », dit Félibien ; rêverie qui prolonge, dans une durée répondant à cette prolongation de l'espace, la contemplation des tableaux de Poussin. La tridimensionnalité reconnue aux choses contraste avec la présentation si souvent bidimensionnelle des personnages (disposés, on l'a dit, comme dans un bas-relief). Par rapport aux individus, elle installe le monde en position dominante. Peut-être est-il significatif que l'âge de Poussin anticipe de peu l'apparition des plans en relief qui exercent sur le spectateur un effet magique analogue.

Une des raisons de l'originalité, de la grandeur monumentale qui, chez Poussin, impressionnaient Delacroix, tient donc, me semble-t-il, à ceci que ses tableaux sont des œuvres au deuxième degré, le premier étant celui qu'avec des moyens plus simples et de nature différente, la maquette réalisait déjà comme une œuvre achevée : stade où l'art a déjà exploité toutes les ressources d'un bricolage auquel Poussin doit peut-être, selon le mot de Félibien, « *la faculté d'étaler dans de petits espaces de grandes et savantes dispositions* ».

Rien n'est certes plus étranger aux élans qui donnent son impulsion à la création romantique. D'où les tergiversations de Delacroix qui, malgré son admiration pour Poussin, en vient par moment à lui préférer Le Sueur : « *Poussin perd beaucoup au voisinage de Le Sueur* », lequel a plus d'égard « *au liant, à la douceur de l'effet ou à l'entraînement de la composition* », ce qui lui permet d'obtenir « *une unité, un fondu* » qui font défaut à Poussin.

Jugement déconcertant, mais non sans analogie avec la préférence que, pour les mêmes raisons, transposées de la peinture à la musique, Delacroix accorde aussi, par intermit-

« ET IN ARCADIA EGO »

Du Guerchin à Poussin

Giovanni Francesco GUERCINO
« *Et in Arcadia Ego* »
Rome, Galleria Corsini.
(Photo Artephot/Fabbri)

Nicolas POUSSIN
« *Et in Arcadia Ego* »
(Les Bergers d'Arcadie,
première version)
Chatsworth, Derbyshire,
The Trustees of the
Chatsworth Settlement.

Nicolas POUSSIN, « *Et in Arcadia Ego* »
(Les Bergers d'Arcadie, deuxième version)
Paris, Musée du Louvre. (Photo R.M.N.)

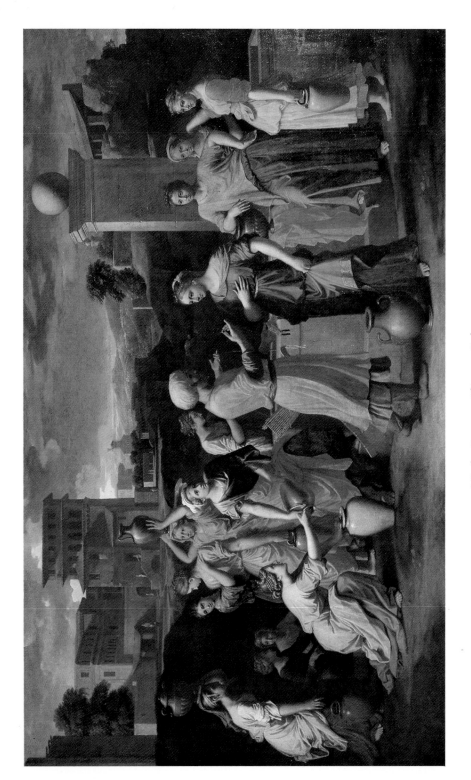

Nicolas POUSSIN, *Eliezer et Rebecca*.
Paris, Musée du Louvre. (Photo R.M.N.)

tence, à Cimarosa, « *plus dramatique* » que Mozart. Il loue chez Cimarosa « *cette proportion, cette convenance, cette expression, cette gaieté, cette tendresse, et par-dessus tout cela* [...] *cette élégance incomparable* [...] *non pas plus de perfection, mais la perfection même* » ; perfection qu'il refuse à Mozart, comme il la refuse à Poussin.

Ce serait donc plutôt de façon négative, parce qu'il a rompu avec la convention, que Poussin préparerait les voies aux écoles modernes : celles qui cherchent « *à la source même les effets qu'il est donné à la peinture de produire sur l'imagination* ». Faut-il entendre que Le Sueur (dans ce passage, associé plutôt qu'opposé à Poussin) aurait été plus avant ? On se défend mal de l'impression que si Poussin et Le Sueur rappellent à Delacroix « *la naïveté des écoles primitives de Flandre et d'Italie* », pour lui, en quelque sorte, Poussin est le « primitif » de Le Sueur.

III

Dans une étude consacrée aux *Bergers d'Arcadie*, Panofsky a fait une triple démonstration :

1. La formule *Et in Arcadia ego* apparaît pour la première fois dans un tableau du Guerchin peint vers 1621-1623, peu avant l'arrivée de Poussin à Rome. Ce tableau représente deux bergers méditant devant une grosse tête de mort posée au premier plan sur un bloc de pierre.

2. En bonne grammaire latine, cette formule ne peut se traduire : « Et moi aussi, j'ai vécu en Arcadie » comme on le fait habituellement, mais (les personnes cultivées du temps le savaient) : « Et moi aussi, je suis là, j'existe, même en Arcadie. » C'est donc la (tête de) mort qui parle, pour rappeler que, même dans le plus heureux des séjours, les hommes n'échappent pas à leur destinée.

3. Un premier tableau de Poussin sur ce thème, peint probablement vers 1629-1630, s'inspire très directement de celui du Guerchin ; et l'inscription, gravée dans la pierre d'un sarcophage, ne peut avoir une autre signification. Bien que la tête de mort, placée sur le tombeau, soit très petite et peu visible, c'est donc toujours elle (ou le tombeau, symbole de la mort) qui s'exprime.

Selon Panofsky toutefois, la deuxième version des *Bergers d'Arcadie* (celle du Louvre) peinte cinq ou six ans plus tard (vers 1638-1639 selon Thuillier) donne à croire que Poussin a changé le sens de la formule pour celui qui sera couramment adopté dès la fin du XVIIᵉ siècle, faisant ainsi de son tableau, « *au lieu d'une rencontre dramatique avec la mort, une contemplation absorbante de l'idée de mortalité* ».

C'est, me semble-t-il, ne pas tenir compte d'un fait : la première version ne s'inspire pas simplement du tableau du Guerchin, elle fait transition entre celui-ci et la version du Louvre ; et elle révèle comment l'imagination plastique de Poussin a pu évoluer au cours des ans sans qu'il soit besoin de recourir à l'hypothèse d'une rupture dans le sens voulu par Panofsky.

Dans cette version, en effet, on relève d'abord deux différences avec le tableau du Guerchin. La tête de mort, qui passe au deuxième plan, est représentée si petite qu'elle en devient insignifiante ; elle disparaîtra complètement de la seconde version. En revanche, à l'arrière-plan de la première version on aperçoit une bergère qui n'existait pas chez le Guerchin, tandis que, dans la version du Louvre, une figure de femme s'impose au premier plan : non plus légèrement vêtue comme la bergère, mais drapée à l'antique et faisant un contraste avec les bergers à demi nus.

Tout se passe comme si la grosse tête de mort, au premier plan à droite dans le tableau du Guerchin, cédait la place à la femme qui occupe la même position et qui prend la même importance dans la seconde version de Poussin ; et comme si la première version, avec sa tête de mort réduite à un rappel, et l'apparition discrète d'une figure féminine, illustrait un état intermédiaire entre les deux.

On serait tenté d'interpréter dans le même sens une

troisième différence. Selon les spécialistes, le vieillard, qu'on voit au premier plan à droite dans la première version, aurait été mis là par Poussin dans un souci de symétrie avec un autre tableau auquel celui-ci devait faire pendant. Or ce vieillard, qui remplace la tête de mort du Guerchin, représente le fleuve Alphée, dont la source est en Arcadie. On croyait qu'il traversait la mer pour rejoindre en Sicile la nymphe Aréthuse, elle-même changée en fontaine. Dans cet état intermédiaire qu'illustre la première version, l'image symbolique du fleuve, ou plus exactement de son flux, ne pourrait-elle diriger la pensée du spectateur, de la tête de mort proche de disparaître, vers une jeune femme aussi, en qui Poussin la transformera dans la seconde version ?

En peignant la première version, Poussin ne prévoyait probablement pas la seconde. Mais les germes de la transformation qui allait s'opérer dans son esprit étaient peut-être déjà présents.

Que, plus tard, Poussin ait clairement conçu la transformation, ou qu'elle fût jusqu'au bout le produit d'un travail inconscient, dans les deux cas ne faudrait-il pas conclure de ce qui précède que cette nouvelle jeune femme, si statique (et qui, sous ce rapport, s'oppose à l'animation des trois bergers), figure la Mort, ou à tout le moins la Destinée, sous cette apparence flatteuse qui lui convient quand elle veut s'imposer, souveraine, « même en Arcadie » ? Contrairement à la femme de la première version, qui occupe une position effacée, et qui est bien une gracieuse compagne de bergers, celle de la seconde version a la grandeur et l'impassibilité d'une figure mythologique. Ce serait donc elle, avec sa noblesse dominatrice, qui énoncerait implicitement les mots gravés dans la pierre du tombeau et qu'elle invite les bergers à lire. « Aussi en Arcadie », leur signifie-t-elle par sa seule présence, « je suis là, à vos côtés. »

On se plaît même à imaginer un scénario. Peut-être vient-elle de faire son entrée par la droite, inaperçue jusqu'à ce qu'elle se manifeste en posant la main sur l'épaule du plus jeune berger, dans un geste à la fois de contrainte et d'apaisement. Le berger tourne les yeux vers elle, pas tellement surpris de cette apparition puisqu'il a pour fonction plastique, si j'ose dire, de relier la jeune femme à sa devise par les mouvements en sens inverse de son visage qui regarde l'une et de sa main pointée vers l'autre, comme pour signifier leur identité.

Si Poussin a vu dans le tableau du Guerchin le premier état d'une transformation dont il lui revenait de concevoir et d'illustrer d'autres états, on comprendra pourquoi aucun tableau, plus que *Les Bergers d'Arcadie* (du Louvre), n'a poussé les philosophes à fabuler. L'abbé Dubos, Diderot, Delille, le chevalier de Jaucourt le décrivent dans des termes très éloignés de la réalité. Sans doute n'appréhendaient-ils la transformation que dans son dernier état. Mais sa nature de transformation lui conservait assez de dynamisme pour inciter le spectateur à la poursuivre. La description de Jaucourt, reprise semble-t-il de Dubos, qui met sur le tombeau une statue gisante de jeune fille, pourrait trouver sa place comme un état parmi d'autres de la transformation.

Interpréter le tableau comme je l'ai fait me paraît plus plausible que de rendre Poussin responsable d'avoir, dans le laps de quelques années, renversé le sens de la formule latine. D'autant que – Panofsky le reconnaît lui-même –, en 1672 encore, Bellori, qui avait été l'ami de Poussin, commentait le tableau en donnant son sens exact à celle-ci. Le contresens n'apparaît qu'en 1685 sous la plume de Félibien. Et comprendrait-on l'extraordinaire succès de l'œuvre (la plus populaire de Poussin, reproduite en chromo jusque dans les chaumières) si l'on n'y voyait qu'une scène champêtre et moralisante ? Le puissant attrait du tableau tient au sentiment que cette femme mystérieuse à côté des trois bergers vient d'ailleurs, et qu'elle manifeste, sur un théâtre rustique, cette irruption du surnaturel dont, par d'autres moyens, Poussin a toujours su empreindre ses paysages.

IV

Si *Les Bergers d'Arcadie* est le plus populaire des tableaux de Poussin, *Eliezer et Rebecca* semble être celui qui a surtout inspiré les connaisseurs. D'aucun autre tableau Félibien ne parle si longuement. Dans les passionnantes *Conférences de l'Académie royale de peinture*, etc., bien plus enrichissantes, à mon sens, que les bavards *Salons* de Diderot (ainsi la superbe conférence faite en 1669 par Sébastien Bourdon sur « *La Lumière* » – d'ailleurs, si l'on y regardait d'un peu près, on s'apercevrait que certaines des idées les plus célèbres de Diderot sont déjà dans les *Conférences* : celle que Gérard Van Opstal fit en 1667 sur le Laocoon formule avec un siècle d'avance la théorie du modèle idéal) ; dans les conférences de l'Académie donc, un débat sur *Eliezer et Rebecca*, introduit par Philippe de Champaigne, s'ouvre en 1668 ; il rebondit en 1675, repart en 1682 dans une séance où l'on relit et rediscute le compte rendu de la première, en présence et avec la participation de Colbert.

Plusieurs tableaux de Poussin sont sublimes, mais, dans un genre exquis, *Eliezer et Rebecca* atteint peut-être un sommet. Chaque figure prise à part est un chef-d'œuvre ; chaque groupe de figures en est un autre ; et l'ensemble constituant le tableau aussi. Trois niveaux d'organisation donc, emboîtés l'un dans l'autre, chacun poussé au même degré de perfection ; de sorte que la beauté du tout possède une densité particulière. L'œuvre se déploie en plusieurs dimensions qui accordent chacune une importance égale au jeu des formes et à celui des couleurs. Des contemporains reprochaient à Poussin de n'être pas coloriste. Ce seul tableau suffirait à les démentir, avec ce bleu presque cru, si souvent employé par Poussin. Reynolds le condamnera, alors qu'au contraire c'est lui qui donne aux harmonies de Poussin leur mordant. Félibien a si bien compris l'importance des couleurs qu'il prend soin de les détailler pendant six pages sur les vingt-cinq qu'il consacre à ce merveilleux tableau.

La lecture qu'en fait Philippe de Champaigne est statique. Il envisage successivement le tableau sous plusieurs angles : représentation de l'action ; ordonnance par groupes ; expression des figures ; distribution des couleurs, des lumières et des ombres. Mais, à propos de l'expression des figures, il formule un doute (que rejettera Le Brun) dont l'examen attentif permet, je crois, de faire progresser l'analyse et de l'orienter dans une nouvelle voie.

Considérant « *la figure d'une fille qui est appuyée sur un vase proche du puits* [...] M. *de Champaigne voulut faire remarquer que M. Poussin avoit imité les proportions et les draperies de cette figure sur les antiques, et qu'il s'en étoit toujours fait une étude servile et particulière. Il s'étoit expliqué d'une manière qui sembloit reprocher à M. Poussin un peu de stérilité et le convaincre d'avoir trop emprunté le secours des anciens, jusqu'à l'accuser de les avoir pillés.* »

Il est de fait que cette figure sculpturale tranche sur les autres. Dans cette différence calculée se trouve à mon sens la clé du tableau.

Abordons-le comme un spectateur qui le verrait pour la première fois. L'œil est tout d'abord attiré par les deux protagonistes situés au premier plan, au milieu du tableau ; mais suffisamment décalés vers la droite pour que la perspective oriente aussitôt le regard vers le groupe compact et mouvementé des femmes qui occupe le côté gauche. Ce groupe agité fait contraste d'une part avec la masse immuable des édifices juste au-dessus ; d'autre part avec le groupe immobile et attentif des trois femmes qui occupent le côté droit du tableau. Vu dans son ensemble, le tableau joue sur une opposition du stable et de l'instable, du mobile et de l'immobile. A-t-elle une signification ?

Je n'essaierai pas de faire de Poussin un anthropologue. Mais son disciple Le Brun expliquait lui-même que ce « peintre philosophe » (comme on disait alors) avait un jugement et un savoir *« tel de ne rien faire entrer dans ses ouvrages sans en approfondir les raisons, et qu'il n'avait rien exposé qu'après une mûre et longue délibération d'étude et de recherche, et que c'était une partie qui le rendait si recommandable »*.

Nul doute qu'avant de se mettre à l'ouvrage, Poussin n'ait longuement médité sur *Genèse* XXIV. Il n'a pas interprété le chapitre dans les termes que l'anthropologue emploierait aujourd'hui, mais il en avait certainement pénétré l'esprit.

Le problème du mariage de Rebecca (comme, plus tard, celui de Rachel) résulte d'une contradiction entre ce que les juristes de l'Ancien Régime ont appelé la *race* et la *terre*. Sur l'ordre du Tout-Puissant, Abraham et les siens ont quitté leur pays d'origine, en Syrie mésopotamienne, pour s'établir très loin vers l'ouest. Mais Abraham rejette toute idée de mariage avec les premiers occupants : il veut que son fils Isaac épouse une fille de son sang. Et comme il est interdit à l'un et à l'autre de s'absenter de la Terre promise, Abraham envoie Eliezer, son homme de confiance, chez ses lointains parents pour en ramener Rebecca.

Telle est la situation qu'illustre le tableau. Au premier plan, un homme (le seul de tous les personnages) et une femme, dans un tête-à-tête symbolique du mariage qui se prépare. Pour le reste, rien que des femmes (la « race »), et de la pierre (la « terre »). En un point précis du tableau, Poussin apporte, formulée en termes plastiques, la solution du problème. Du groupe agité des femmes de gauche, l'œil passe, par le duo déjà plus calme des protagonistes, aux figures immobiles et presque figées de la partie droite, et surtout à la femme critiquée par Philippe de Champaigne comme étant démarquée de l'antique. Or cette figure statuesque, déjà de pierre (« *Poussin, trop épris de l'antique, a donné dans la pierre* », disait Roger de Piles), non seulement par la forme, mais aussi par un coloris équivoque (qui tranche singulièrement avec le reste), réalise la synthèse d'une effigie encore humaine (qui tient donc de la « race ») et du pilier de maçonnerie (déjà la « terre ») surmonté d'une sphère, sur lequel la femme se profile et auquel elle semble presque adhérer : représentation géométrique – on dirait volontiers « cubiste » – d'une femme portant une cruche sur la tête dans un équilibre précaire, et rendu stable désormais. Agrandissement aussi, à une échelle monumentale, d'une autre femme (pas par hasard, sans doute, portrait craché de Rebecca) qui domine le groupe de gauche dans cette posture. A cet égard on notera le triangle formé par la cruche qu'elle porte sur la tête (instable), la cruche au-dessous d'elle (ou celle de Rebecca) posée par terre (stable), et la cruche sur laquelle s'accoude la figure statuesque, qui est à mi-hauteur.

Du pilier en maçonnerie, l'œil revient vers la gauche ; et,

26

passant par une vue de nature sous un ciel tourmenté (rappel d'un déséquilibre initial, chassé dans les lointains), s'arrête, définitivement cette fois, sur des édifices solides, symbole de la terre durablement habitée dont le mariage d'Isaac et Rebecca réussira la fusion avec la race, figurée par des humaines si ressemblantes entre elles qu'elles représentent, plutôt que des personnes individuelles, le sexe féminin en général, par lequel la continuité du sang se transmet.

V

Dans les débats qui se déroulèrent à l'Académie royale de peinture sur *Eliezer et Rebecca*, une question semble avoir obsédé les participants ; en tout premier le conférencier lui-même qui était, ne l'oublions pas, Philippe de Champaigne : Poussin n'aurait-il pas dû représenter les chameaux du serviteur d'Abraham dont l'Écriture fait mention, quand elle dit qu'il reconnut Rebecca au soin que celle-ci prit de donner à boire à ces bêtes ? Là-dessus, une discussion tatillonne s'engage : les chameaux n'étaient-ils pas trop loin du puits pour apparaître dans le champ du tableau ? Quel était leur nombre, et combien Poussin eût-il pu ou dû en introduire (il le fit dans une version tardive) ? Les avoir supprimés ne risquait-il pas de faire prendre le serviteur d'Abraham pour un marchand cherchant à vendre des joyaux ? Ou au contraire, comme le soutint Le Brun, la présence de chameaux n'aurait-elle pas été le vrai moyen de le confondre avec un de ces marchands forains du Levant, auxquels ces animaux servent de voiture ordinaire ? Poussin a-t-il eu raison de rejeter d'une scène noble des objets bizarres qui pouvaient débaucher l'œil du spectateur ? Ou au contraire —

c'était l'avis de Champaigne – la laideur des chameaux n'aurait-elle pas servi à relever l'éclat des figures ?

Cette casuistique, qui passionnait les peintres et les amateurs, nous semble aujourd'hui dérisoire. Ce n'est plus par de tels arguments que nous jugeons des vertus d'un tableau. Il ne faut pourtant pas méconnaître que, pour les gens du XVIIᵉ siècle, la distance entre les temps bibliques, l'antiquité, et le présent était moins grande. Faisons l'effort ethnographique de traduire leur perspective dans la nôtre. Le problème ne se poserait-il pas dans les mêmes termes s'il s'agissait pour nous de représenter des événements récents ? Nous aussi voudrions qu'ils fussent traités avec grandeur sans offenser la vérité historique, et nous serions attentifs aux détails.

Nous avons concédé ce genre à la photographie et au cinéma, dans l'illusion qu'ils reproduisent l'événement au naturel. Inversement, nous ne nous sentons plus tenus, par respect pour l'histoire sacrée, de « *ne rien ajouter ou diminuer à ce que l'Écriture nous oblige à croire* ». Entre les temps bibliques ou antiques et le temps présent, nous n'interposons pas seulement une profondeur historique que les hommes du XVIIᵉ siècle, encore sous l'effet du téléscopage opéré par la Renaissance, mesuraient mal. Nous interposons aussi une distance critique.

Que le suprême talent, pour l'artiste, soit d'imiter la réalité à s'y méprendre, c'est pourtant là un lieu commun du jugement esthétique qui, même chez nous jusqu'à une époque récente, a longtemps prévalu. Pour célébrer leurs peintres, les Grecs accumulaient les anecdotes : raisins peints que venaient picorer les oiseaux, images de chevaux que leurs congénères croient vivants, rideau peint qu'un rival demandait à l'auteur de soulever pour pouvoir contempler le tableau dissimulé derrière. La légende fait crédit à Giotto, à Rembrandt, du même genre de prouesses. Sur leurs peintres fameux, la Chine, le Japon racontent des histoires très voisines : chevaux peints qui, la nuit, quittent le tableau pour aller paître, dragon s'envolant dans les airs quand l'artiste ajoute le dernier détail qui manquait.

Quand les Indiens des plaines de l'Amérique du Nord virent, pour la première fois, un peintre blanc au travail, ils se méprirent. Catlin avait portraituré l'un d'eux de profil. Un autre Indien, qui n'avait pas de sympathie pour le modèle, s'écria que le tableau prouvait que celui-ci n'était qu'une moitié d'homme. Une bagarre mortelle s'ensuivit.

C'est l'imitation du réel que Diderot admire d'abord chez Chardin : « *Ce vase de porcelaine est de la porcelaine, ces olives sont réellement séparées de l'œil par l'eau dans laquelle elles nagent [...] il n'y a qu'à prendre ces biscuits et les manger.* » Un siècle plus tard, les Goncourt ne diront pas autre chose quand ils louent Chardin d'avoir exactement rendu « *la transparence d'ambre du raisin blanc, le givre de sucre de la prune, la pourpre humide des fraises [...] la couperose des vieilles pommes* ».

La sagesse des nations atteste que Pascal posait un vrai problème en s'écriant : « *Quelle vanité que la peinture, qui attire l'admiration par la ressemblance de choses dont on n'admire point les originaux.* » Le romantisme, pour qui l'art n'imite pas la nature mais exprime ce que l'artiste met de lui-même dans ses tableaux, n'échappe pas au problème ; non plus que la critique contemporaine qui fait du tableau un système de signes. Car le trompe-l'œil a toujours exercé, et continue d'exercer, son empire sur la peinture. Il refait surface quand on croit qu'elle s'en est définitivement libérée. Ainsi des collages, qui surenchérissent sur le trompe-l'œil en substituant de vraies matières à leur imitation. Rien de plus éloquent à cet égard que l'aventure de Marcel Duchamp. Par les procédés antithétiques du *ready made* et de constructions intellectuelles comme *La Mariée mise à nu* ou *Le Grand Verre*, il a cru dépouiller la peinture de ses prétentions figuratives. En fin de compte, il a consacré les dernières années de sa vie à réaliser une œuvre secrète, connue seulement après sa mort, qui n'est rien d'autre qu'un diorama en trois dimensions qu'on regarde à travers un œilleton : genre de présentation auquel, même en deux dimensions, John Martin, virtuose du trompe-l'œil monumental, n'a jamais consenti qu'on rabaissât ses tableaux.

A quoi tiennent donc la puissance et les enchantements du trompe-l'œil ? A la coalescence obtenue comme par miracle d'aspects fugitifs et indéfinissables du monde sensible, avec des procédures techniques, fruit d'un savoir lentement acquis et d'un travail intellectuel, qui permettent de reconstituer et de fixer ces aspects. « *Notre entendement,* disait déjà Plutarque, *se délecte de l'imitation comme de chose qui lui est propre.* » Tâche extraordinairement difficile ; mais, à la condamnation prononcée par Rousseau « *des beautés de convention qui n'auraient d'autre mérite que la difficulté vaincue* », son contemporain Chabanon répliquait avec raison : « *C'est à tort que, dans la théorie des Arts, on affecte de ne compter pour rien la difficulté vaincue ; elle doit être comptée pour beaucoup dans le plaisir que les Arts procurent.* »

Ce n'est pas un hasard si le trompe-l'œil triomphe dans la nature morte. Il découvre et démontre que, comme le dit le poète, les objets inanimés ont eux aussi une âme. Un morceau de tissu, un bijou, un fruit, une fleur, un ustensile quelconque, possède à l'égal du visage humain – objet de prédilection d'autres peintres – une vérité intérieure à laquelle, disait Chardin, on accède par le sentiment, mais que le savoir et l'imagination techniques peuvent seuls rendre. A sa façon et sur son terrain, le trompe-l'œil accomplit l'union du sensible et de l'intelligible.

L'impressionnisme a répudié le trompe-l'œil. Mais, entre les écoles, la différence n'est pas, comme le croyait l'impressionnisme, celle du subjectif et de l'objectif, du relatif et de l'absolu. Elle tient à l'illusion de l'impressionnisme qu'on peut s'installer durablement au point de rencontre des deux. L'art du trompe-l'œil sait, lui, qu'il faut développer séparément la connaissance approfondie de l'objet et une introspection très poussée, pour parvenir à englober dans une synthèse le tout de l'objet et le tout du sujet, au lieu de s'en tenir au contact superficiel qui s'établit entre eux de façon passagère au niveau de la perception.

D'où l'erreur de croire que la photographie a tué le trompe-l'œil. Le réalisme photographique ne distingue pas les accidents de la nature des choses : il les laisse sur le même plan. Il y a bien là reproduction, mais la part de l'intellection est sommaire. Une technique qui, chez les maîtres du genre, est parfaitement accomplie, reste la servante d'une vision « bête » du monde.

Le trompe-l'œil ne représente pas, il reconstruit. Il suppose à la fois un savoir (même de ce qu'il ne montre pas) et une réflexion. Il est aussi sélectif, ne cherche à rendre ni tout, ni n'importe quoi du modèle. Il choisit le *pruineux* du raisin plutôt que tel ou tel autre aspect, parce qu'il lui servira à construire un système de qualités sensibles avec le *gras* (aussi retenu parmi d'autres qualités) d'un vase d'argent ou d'étain, le *friable* d'un morceau de fromage, etc.

En dépit des perfectionnements techniques, l'appareil photographique reste une machine grossière comparée à la main et au cerveau. Les plus belles photographies sont d'ailleurs celles des premiers âges, quand la rusticité des moyens obligeait l'artiste à investir sa science, son temps, sa volonté.

Plutôt que de croire que l'art du trompe-l'œil a succombé à la photographie, mieux vaudrait reconnaître qu'ils ont des vertus inverses l'une de l'autre. Pour s'en convaincre, il suffit de considérer les productions navrantes de ces néo-figuratifs qui peignent une nature morte ou une figure, non pas sur le motif, mais d'après une photographie en couleurs qu'ils cherchent servilement à imiter. On croit qu'ils ressuscitent le trompe-l'œil et c'est tout l'opposé.

L'abbé Morellet écrivait au XVIIIe siècle : « *La nature n'est pas belle dans toutes les mères* [ou *toutes les amantes*], *et lors même qu'elle est belle, elle ne se soutient pas ; sa beauté n'a quelque fois qu'un instant.* » La photographie saisit cette chance : elle montre, c'est son mot, l'instantané. Le trompe-l'œil saisit et montre ce qu'on ne voyait pas, ou mal, ou de façon fugitive, et que, désormais, grâce à lui, on verra toujours. Le spectacle d'un panier plein de fraises ne sera plus jamais le même pour qui se souvient de la façon dont les Hollandais et les Allemands du XVIIe siècle, ou Chardin, les peignirent.

VI

Dans un tableau de Poussin aucune partie n'est inégale au tout. Chacune est un chef-d'œuvre de même rang qui, considéré seul, offre autant d'intérêt. Le tableau apparaît ainsi comme une organisation au deuxième degré d'organisations déjà présentes jusque dans les détails. Cela est aussi vrai vu dans l'autre sens : il arrive qu'une figure, dans un tableau de Poussin qui en contient plusieurs, paraisse être à soi seule un tableau complet de Corot. L'organisation du tout transpose à plus grande échelle celle des parties, chaque figure est aussi profondément pensée que l'ensemble. Rien d'étonnant que, dans sa correspondance, Poussin suive l'usage de son temps, en mesurant la difficulté de chaque œuvre au nombre de figures qu'elle contiendra : chacune pose un problème de même niveau que la totalité du tableau.

Ce qui vaut pour les figures vaut aussi pour les paysages, les uns sauvages, d'autres composés de « fabriques » : ouvrages humains certes, mais qui, par la place qu'ils occupent en comparaison des vivants, et par leur exécution méticuleuse qu'on croirait inspirée des Flamands, prennent une importance et suscitent un intérêt plus grands que les personnages souvent minuscules qui les animent, et même que ceux placés à l'avant-plan. Ce sublime reconnu aux choses « remet l'homme à sa place » – je prends la locution au sens moral et populaire. Même les tableaux « à géants », *Orion* et *Polyphème*, sont des symphonies agrestes où les géants se fondent dans la nature plus qu'ils ne la dominent. Si l'on ne connaissait le mythe, on imaginerait Orion, dans sa marche descendante, bientôt englouti par l'immensité verte à ses pieds.

Ingres a bien vu la portée esthétique et morale de ce renversement : « *L'immortel Poussin a découvert le sol pittoresque de l'Italie. Il a découvert un nouveau monde, comme ces grands navigateurs, Améric Vespuce et autres* [...] *lui le premier, lui seul, il a imprimé le style à la nature italienne.* »

Dans le même passage, Ingres écrit : « *Il n'y a que les peintres d'histoire qui soient capables de faire du beau paysage.* » Pourquoi ? Parce qu'ils n'obéissent pas d'abord à leur sensibilité mais font un choix réfléchi de ce qui, dans la nature, est propre à leur sujet. La théorie de la « belle nature » ne justifie certainement pas les sarcasmes de Diderot.

Les réflexions de Delacroix sur le paysage ont une tonalité différente et quelque peu dédaigneuse : « *Les peintres de marine* [...] *font des portraits de vagues, comme les paysagistes font des portraits d'arbres, de terrains, de montagnes, etc. Ils ne s'occupent pas assez de l'effet pour l'imagination.* » Qu'on remplace imagination par perception, et l'on aura l'impressionnisme. Poussin, lui, ne va pas de la nature vers une émotion subjective (« *ne me rappeler dans mes tableaux*, dit encore Delacroix, *que le côté frappant et poétique* »), mais vers une sélection et une recomposition méditées : « *Je l'ai vu*, écrit Félibien, *considérer jusqu'à des pierres, à des mottes de terre et à des morceaux de bois, pour mieux imiter des rochers, des terrasses et des troncs d'arbres.* » C'est à l'issue de telles collectes, aussi de cailloux, de mousse et de fleurs, que, selon des témoins, il aurait prononcé ces paroles célèbres : « *Cela trouvera sa place* », ou, selon d'autres, « *Je n'ai rien négligé* ».

A Ingres qui pourtant disait : « *Il faut consulter les fleurs pour trouver de beaux tons de draperie* », on a reproché, ainsi qu'à Poussin d'ailleurs, de n'être pas coloriste. C'est qu'à ce vocable, qui désigne proprement le goût sensuel des couleurs et de leurs rapports, on donne souvent un sens plus technique : art de subordonner le choix et le mélange des couleurs à un effet d'ensemble principalement recherché. Ingres a certes professé que « *le dessin comprend les trois quarts et demi de ce qui constitue la peinture* [...] *la fumée même doit s'exprimer par le trait* [...] *le dessin comprend tout, excepté la teinte* [...] *il est sans exemple qu'un grand dessinateur n'ait pas eu le coloris qui convenait exactement aux caractères de son dessin* ». Mais quels tableaux témoignent, en matière de coloris, d'une invention plus fraîche, d'une finesse de goût plus subtile que les trois portraits Rivière, ceux de la Belle Zélie, de Granet, de Mme de Senonnes, de Mme Moitessier ? que la *Baigneuse de Valpinçon*, *Jupiter et Thétis*, l'*Odalisque à l'esclave*, la *Stratonice*, *Roger délivrant Angélique*, le *Bain turc* ?

A deux siècles de distance, le malentendu se répète. Les critiques du XVIIe siècle reconnaissaient dans l'art de peindre deux exigences malaisément conciliables. La « perspective aérienne » voulait qu'on perçût dans le tableau l'épaisseur de l'air quand les figures ou les objets étaient plus éloignés, mais au prix d'un dégradé de la teinte qui tendait vers la grisaille. La recherche de ce qu'on appelait alors le « tout-ensemble » réclamait, elle, une tonalité générale, « *orchestration des couleurs* », dira au XIXe siècle Charles Blanc, « *mais visant avant tout à la consonance* ».

A Charles Blanc précisément, qui avançait que « *les grands coloristes ne font pas le ton local* », Delacroix répondait : « *Cela est parfaitement vrai ; voilà un ton, par exemple* » (il montrait du doigt, dit Blanc, le ton gris et sale du pavé) ; « *eh bien, si l'on disait à Paul Véronèse : peignez-moi une belle femme blonde, dont la chair soit de ce ton-là, il la peindrait et la femme serait une belle blonde dans son tableau* ». Jolie illustration de la théorie du « tout-ensemble » qu'ont illustrée, chacun dans son genre, Rubens et Van Dyck.

De ce parti, Poussin et Ingres sont pareillement ennemis. Poussin disait du Caravage « *qu'il était venu au monde pour détruire la peinture* », formule qu'Ingres lui emprunte en l'étendant à Rubens. Mais, contrairement à ce qu'on lit chez leurs contemporains respectifs, Poussin et Ingres sont intensément coloristes (au premier sens que j'ai reconnu à ce terme), car c'est surtout chez eux qu'on observe le goût pour les teintes franches, traitées par Ingres presque en aplats pour mieux respecter « *la distinction particulière du ton de chaque objet* », préserver leur individualité et garder leur saveur.

(Entre Poussin et Ingres, ce n'est pas la seule parenté. Il y a presque autant d'érotisme dans la scène de bain de mer qu'est le *Triomphe de Neptune*, que dans le *Bain turc*. Les contemporains de Poussin appréciaient la sensualité de ses figures féminines ; ils en souhaitaient même davantage. Les générations suivantes en étaient aussi conscientes, mais, devenues prudes, elles s'en formalisaient, allant même, dans un cas connu, jusqu'à mutiler un tableau.)

Pour surmonter la contradiction entre perspective aérienne et couleur, Poussin et Ingres choisissent de faire du coloris un problème séparé, qu'il convient de traiter et de résoudre en lui-même et pour lui-même une fois que le tableau est pratiquement complet. Choix qui permet de n'avoir plus

37

égard qu'aux couleurs vraies. Félibien, parlant de Poussin, le souligne : « *Les couleurs même les plus vives demeurent dans leur place.* » Échappant au compromis, le dessin et le coloris peuvent chacun atteindre leur sommet. Jusque, pour ce qui est du coloris, dans des recherches de dissonances qui choquèrent, comme en musique, mais qui, dans les deux cas, se traduisirent par un enrichissement prodigieux de la sensibilité.

C'est de la même façon que l'estampe japonaise consacre l'indépendance du dessin et du coloris. La gravure sur bois interdit la touche (celle-ci honnie par Ingres comme un « *abus de l'exécution* [...] *qualité des faux talents, des faux artistes* ») ; elle impose le trait. Dans les débuts, l'estampe est presque sans couleurs : à peine quelques notes d'orange et de vert négligemment posées. Et la technique ultérieure des *nishiki-e* – estampes brillamment colorées – atteste à sa façon l'isolationnisme, le séparatisme japonais qui, comme dans la cuisine, exclut les mélanges, présente les éléments de base – ici les tons – à l'état pur. On mesure le contresens des impressionnistes qui, croyant demander des leçons à l'estampe, ont fait tout le contraire (hors les enseignements de la mise en page) ; alors que l'estampe japonaise – en tout cas celle que les spécialistes appellent « primitive » – anticipe la maxime d'Ingres qu'« *un tableau bien dessiné est toujours assez bien peint* ». Mieux compris, l'exemple de l'estampe eût plutôt dû ramener les peintres vers le néoclassicisme de Flaxman et de Vien.

On l'a souvent dit : même dans les premiers portraits d'Ingres (ainsi les trois Rivière : il avait vingt-cinq ans) perce une influence extrême-orientale, dans le traitement séparé du dessin et la localisation des couleurs. Influence non pas, sans doute, des estampes japonaises (contrairement aux affirmations tardives d'Amaury-Duval), dont il est peu vraisemblable qu'on connût des exemplaires en Europe autour de 1805, mais probablement des miniatures persanes, et de ces ouvrages chinois que Delacroix accusait Ingres d'avoir seulement imités. « *Bariolage persan et chinois* », disait lui aussi Baudelaire. A cette époque, on attribuait volontiers aux Orientaux la science et l'art des couleurs, et l'on prenait des leçons des « *céramistes et des tapissiers de l'Asie* » qui – remarque significative – « *font vibrer la couleur en mettant ton sur ton à l'état pur, bleu sur bleu, jaune sur jaune* ».

Kawanabe Kyôsai (1831-1889) fut l'un des derniers grands maîtres de l'*ukiyo-e*. Émile Guimet et Félix Régamey le rencontrèrent en 1876, mais c'est surtout la conversation qu'il eut en 1887 avec un peintre anglais, relatée par celui-ci, qui mérite l'attention. Kyôsai déclare ne pas comprendre que les peintres occidentaux fassent poser leur modèle : si ce modèle est un oiseau, il ne cessera de bouger et l'artiste ne pourra rien faire. Kyôsai, lui, observera l'oiseau à longueur de journée. Chaque fois que, de façon fugitive, apparaîtra la pose souhaitée, il s'éloignera du modèle et esquissera en trois ou quatre traits, sur l'un de ses carnets au nombre de plusieurs centaines, le souvenir qu'il a gardé. A la fin, il se rappellera si bien la pose qu'il la reproduira sans plus regarder l'oiseau. En s'entraînant ainsi pendant une vie entière, il a, dit-il, acquis une mémoire si vive et si précise qu'il peut représenter de tête tout ce qui lui fut donné d'observer. Car ce n'est pas le modèle au moment présent qu'il copie, mais les images que son esprit a emmagasinées.

La leçon s'apparente à celle qu'Ingres paraît avoir tirée de Poussin : « *Poussin avait coutume de dire que c'est en observant les choses que le peintre devient habile plutôt qu'en se fatiguant à les copier* [citation textuelle de Félibien]. *Oui, mais il faut que le peintre ait des yeux.* » Il faut, poursuit-il, que le peintre parvienne à loger le modèle dans sa tête, à l'y incruster comme sa propriété ; et « *avoir si bien la nature dans la mémoire qu'elle vienne d'elle-même se placer dans l'ouvrage* ». On croirait entendre Kyôsai...

Je ne forcerai pas le parallèle. Il est clair que peintres occidentaux et orientaux appartiennent à des traditions esthétiques différentes, qu'ils n'ont pas la même vision du monde et travaillent avec des techniques qui leur sont propres (l'écart se réduirait si l'on comparait la peinture extrême-orientale et la nôtre des XIIIe et XIVe siècles). Ingres peut dire, presque dans les mêmes termes que Kyôsai, qu'« *il faut avoir toujours un carnet en poche et noter en quatre coups de crayon les objets qui vous frappent, si vous n'avez pas le temps de les indiquer entièrement* ». La grande différence réside en ceci que le « *peintre d'histoire* [qu'Ingres estimait être] *rend l'espèce en général* », tandis que le Japonais cherche à saisir l'être dans son mouvement fugitif et dans sa particularité ; plus proche, sous ce rapport, de la poursuite typiquement germanique, selon Riegl, du fortuit et de l'éphémère. Mais outre qu'Ingres, bien qu'à son corps défendant, fut un des plus grands portraitistes – genre où le peintre ne représente que l'individu : modèle, déplore-t-il, souvent ordinaire ou plein de défauts –, je trouve dans ces rapprochements l'explication, la justification j'espère, de mon goût personnel qui unit dans la même dévotion la peinture nordique (Van Eyck, Van der Weyden), Poussin, Ingres, et les arts graphiques du Japon.

En écoutant Rameau

VII

La théorie des accords de Rameau devance l'analyse structurale. En appliquant, sans encore la formuler, la notion de transformation, Rameau divisa par trois ou quatre le nombre des accords reconnus par les musiciens de son temps. Il démontra qu'à partir de l'accord du ton majeur, on pouvait engendrer tous les autres comme autant de renversements du premier. L'analyse structurale suit la même démarche quand elle réduit le nombre des règles du mariage ou celui des mythes : elle ramène plusieurs règles, ou mythes, à un même type d'échange matrimonial, ou à une même armature mythique, différemment transformés.

Jusqu'où peut-on pousser le parallèle ? Cherchant de droite et de gauche des références anciennes révélatrices des idées du temps, je tombai par hasard sur l'article « Rameau » du *Grand Larousse du XIXe siècle* – le plus admirable de tous les dictionnaires. Je n'y trouvai pas ce que je cherchais, mais un commentaire sur l'opéra *Castor et Pollux* capta mon attention. L'article, non signé, a probablement pour auteur Félix Clément, compositeur et musicologue, qui fut le principal collaborateur de Larousse dans ce domaine. Je cite : « *On y admira le chœur* Que tout gémisse, *écrit en* fa *mineur et immédiatement suivi du bel air* Tristes apprêts, pâles flambeaux *qui est en* mi *bémol. Rameau a lié ensemble ces deux morceaux de tons si éloignés par une hardiesse qui eut un succès inouï. Après le dernier accord en* fa *mineur, il y a un long silence, puis les basses font entendre lentement et à l'unisson ces trois notes :* fa, la, mi *; alors commence immédiatement la ritournelle de l'air en* mi *bémol. "Cela est si simple, remarque Adolphe Adam, que l'on est tenté, à l'analyse, de croire que c'est une niaiserie, mais, à l'effet, cette transposition est excellente et le succès fut tel, que, pendant bien longtemps, on cita comme un trait de génie le* fa, la, mi *de* Castor et Pollux." »

Le public du XVIIIᵉ siècle s'enthousiasmait-il donc pour une modulation tonale qui passerait probablement inaperçue de la plupart des auditeurs aujourd'hui ? La musique de Rameau laisse souvent ceux-ci insensibles. Elle les touche peu, parfois même les ennuie (c'est d'ailleurs le mot « ennui » qui revient dans les comptes rendus de la reprise, précisément de *Castor et Pollux*, à Aix, l'été 1991). Si, aux auditeurs du XVIIIᵉ siècle, cette musique procurait de grandes jouissances, n'est-ce pas d'abord parce qu'elle apportait des innovations révolution- naires que, sauf les musiciens professionnels et les musicolo- gues, nous ne percevons plus ? Mais, aussi et surtout, parce que les auditeurs de l'époque savaient davantage de musique que nous ? Dans ce « moins » qu'est pour nous la musique de Rameau et celle de ses contemporains par rapport à la musique du XIXᵉ siècle dans laquelle nous avons été élevés, mais qui « *surprenait* » encore Balzac vers 1840 parce que « *la mélodie et l'harmonie* [y] *luttent à puissance égale* » (soit dit en passant, ce jugement eût paru naïf à Rousseau, qui accusait Rameau d'avoir, un siècle plus tôt, déjà sacrifié la première à la seconde ; les admirateurs de Cimarosa faisaient le même reproche à Mozart) ; dans ce « moins », dis-je, des auditeurs mieux éduqués percevaient plus.

Les curieux de cuisine exotique l'ont appris en même temps que l'usage des baguettes : il faut plus de savoir-faire pour se servir d'un outil simple que le contraire ; le couteau et la fourchette furent inventés à l'intention de nos aïeux qui mangeaient grossièrement avec leurs doigts. Pour continuer dans la même veine, la musique que nous goûtons – de Mozart et Beethoven à Debussy, Ravel et Stravinski – ne nous mâche-t-elle pas la besogne ? Plus savante et compliquée, elle met hors de notre portée la compréhension technique des œuvres ; donc elle nous en dispense et nous installe dans le rôle passif, mais somme toute confortable, de récepteurs.

Le plaisir musical de l'auditeur du XVIIIe siècle était probablement plus intellectuel et de meilleur aloi, car une moindre distance le séparait du compositeur. Les ouvrages que lit l'amateur aujourd'hui se réduisent en général à des biographies de musiciens et à de la littérature sur la musique. Combien éprouveraient-ils le besoin et seraient-ils capables, pour aller en connaissance de cause à l'opéra ou au concert, de s'instruire sur l'art musical dans des traités que nous jugerions trop difficiles, même s'ils ne l'étaient pas davantage que les *Éléments de musique* de d'Alembert (1752), plusieurs fois réédités à l'époque et qu'on discutait dans les salons ?

Il y eut même un véritable snobisme de la compétence musicale. Un philosophe de la musique, lui-même musicien, et dont je parle longuement ailleurs (*infra*, p. 91-113) s'en amusait. Autour des connaisseurs, écrit Chabanon, il y a aussi ceux qui « *s'étayent de quelques mots surpris dans la bouche des Professeurs, et se méprennent à l'application qu'ils en font. J'ai vu de ces perroquets mal sifflés, louer dans telle musique la richesse de l'harmonie, lorsque l'harmonie, pauvre et stérile, séjournait, croupissait sur les mêmes accords. J'en ai vu qui se récriaient sur le charme des modulations, avant que l'air ait quitté le mode principal. Ceux qui ne sont pas initiés à un Art, ne sauraient trop s'abstenir d'en parler avec quelque air scientifique. »*

(Chabanon avait un talent de polémiste. Pour cette raison peut-être, Voltaire, de trente-six ans son aîné, lui témoigna une sympathie que reflète la correspondance échangée de Ferney – sur le théâtre et la poésie plus que sur la musique il est vrai.)

Balzac consacra deux romans de la *Comédie humaine* à la musique : *Massimilla Doni* et *Gambara* ; ce dernier, étonnant parallèle entre la composition musicale et l'art culinaire, l'un et l'autre voués à l'échec quand leur inspiration devient trop cérébrale et ne se contente pas de « *réveiller en nous les sensations* ». Balzac s'était instruit auprès d'un musicologue (à qui, d'ailleurs, les deux romans sont dédiés) et il est frappant de constater combien, encore à cette époque, les auditeurs et les critiques se montrent surtout attentifs, pour juger les œuvres, à l'enchaînement des tonalités et aux modulations.

Au cours du XIXe siècle pourtant, on dirait que l'écoute musicale change de nature. Elle paraît devenir telle que Wagner la dénonce à propos d'un concert consacré à des œuvres de Beethoven où « *les chefs et le public ne perçoivent que le son (comme sonorité plaisante d'une langue inconnue) ou plaquent dessus un sens littéraire, superficiel, arbitraire et anecdotique* ». Amaury-Duval, l'élève préféré d'Ingres, confirme à sa façon cette manière d'écouter quand il évoque son goût musical et celui de ses camarades : « *Comme des gens qui aiment un art sans l'avoir étudié, ou sans avoir au moins comparé, nous aimions toutes les musiques, et nous passions sans scrupule d'un air d'Adam à l'andante de la symphonie en* la. » Il me semble que la moyenne des gens qui se pressent dans les salles de concert et à l'Opéra-Bastille en sont à peu près là ; et pire même, puisque ce sont aujourd'hui les pouvoirs publics qui nous invitent à reconnaître la même légitimité au rock et à la *Neuvième Symphonie.*

Sur la vogue actuelle des expositions de peinture, je lis dans un ouvrage de l'historien de l'art Edgar Wind : « *Lorsque d'aussi grandes expositions d'artistes incompatibles sont reçues avec autant d'intérêt et d'appréciation, il est clair que ceux qui les visitent ont acquis une forte immunité. C'est pour avoir perdu son mordant que l'art est si bien reçu* [par] *un public dont l'appétit sans cesse croissant n'a d'égal que l'atrophie progressive des organes réceptifs.* » Des propos tenus par Wagner à la veille de sa mort, transcrits par Cosima, allaient déjà dans le même sens, rapporté à la musique : « *Hier, entendant parler de la popularité de* Manfred *de Schumann à Munich, il dit : ils éprouvent tout à fait le même sentiment qu'en écoutant* Tristan, *un certain étourdissement de la sensibilité, car il n'y a pas trace de jugement artistique.* »

Au contraire, l'auditeur du XVIIIe siècle, enthousiasmé par l'audace d'une modulation en trois notes pour passer d'un ton au ton relatif, se sentait de connivence avec le compositeur. La compétence musicale était alors à la mode comme l'attestent le nombre, l'étendue et la richesse des articles qui s'y rapportent dans l'*Encyclopédie.* Le public cultivé connaissait les écrits de Rameau, de d'Alembert, de Jean-Jacques Rousseau. Une théorie musicale en pleine révolution jouissait dans l'opinion, de pair avec le système de Newton (des passerelles existaient entre les deux[1]), d'une faveur comparable à celle par quoi s'explique à présent le succès commercial des livres de vulgarisation sur l'astrophysique et la cosmologie. Il y a toutefois une différence : nous lisons les ouvrages de vulgarisation scientifique en consommateurs, tandis que les habitués des salons où on jouait de la musique (et qui, pour beaucoup d'entre eux, en jouaient eux-mêmes) jugeaient plus ou moins en praticiens. Entre l'auditeur et le compositeur, la cloison n'était pas aussi étanche qu'elle l'est devenue aujourd'hui.

---

1. Dans son *Optique*, Newton mettait en rapport mathématique les diamètres des anneaux diversement colorés formés par la réfraction de la lumière, et les différentes longueurs d'un monocorde qui produisent les notes d'une octave.

VIII

Adolphe Adam (1803-1856), auteur du *Postillon de Longjumeau*, du *Chalet*, de *Giselle*, n'a laissé, sauf erreur, que deux livres : *Souvenirs d'un musicien* (1857) et *Derniers Souvenirs d'un musicien* (1859). Félix Clément n'indique pas sa source. Les propos qu'il cite ne se retrouvent pas textuellement dans l'étude d'Adam sur Rameau parue dans la *Revue contemporaine* et reprise dans les *Derniers Souvenirs*. Mais Adam y exprime presque dans les mêmes termes un enthousiasme pour la modulation du deuxième acte de *Castor et Pollux*, dont l'écho se prolonge chez H. Quittard dans l'article « Rameau » de la *Grande Encyclopédie* (dirigée par André Berthelot) : « *Castor et Pollux, son chef-d'œuvre, fut encore un triomphe* », et il cite à l'appui « *les hardiesses harmoniques, les modulations neuves et imprévues* ».

(Sur le succès triomphal de *Castor et Pollux* : l'héroïne de *La Religieuse* de Diderot, livre commencé dans les années qui suivent la version de 1754, fredonne *Tristes apprêts, pâles flambeaux, jour plus affreux que les ténèbres*, comme l'air à la mode ; lors de la troisième reprise, en 1772, une quinzaine de spectateurs écrasés par la foule s'évanouirent et plusieurs, dit-on, succombèrent. Lors de la reprise suivante, *Le Mercure de France* de juillet 1782 note que la première représentation a attiré la plus grande affluence de monde qu'on y ait encore vue depuis l'ouverture de la nouvelle salle de l'Académie royale de musique.)

Plus près de nous, Masson rappelle que « *les trois notes de basse, fa, la, mi qui relient le chœur en* fa *mineur au monologue en* mi *bémol majeur ont été fort remarquées par les musiciens et les critiques du temps* ».

Ces commentaires s'accordent. En fait, ils répètent très exactement ce qu'écrivait en 1773 l'auteur anonyme d'un pamphlet : *Réponse à la Critique de l'opéra de* Castor *et observations sur la musique*, à l'occasion de la troisième reprise, près d'un siècle avant Adam : « *Ces deux tons sont étrangers l'un à l'autre, le chœur est en* fa *tierce mineure, le monologue en* mi b *mol et trois notes de basse fondamentale, montant de tierce et descendant de quarte, fa, la, mi, en font la liaison et le rapport. Cette transition [...] l'on a souvent tenté de l'imiter depuis ; mais personne n'ignore qu'elle a singulièrement été distinguée dans tous les temps par les artistes célèbres, et que cette marche imposante de basse, ce moyen bref que l'oreille cependant saisit avec plaisir dans la succession de ces deux tons, a toujours été admirée comme une de ces ressources qui n'appartiennent qu'au génie.* » Témoignage qui, ne l'oublions pas, date de moins de vingt ans après la version de 1754 où apparaît cette transition.

Rameau a fait deux versions de *Castor et Pollux*. La première, représentée le 24 octobre 1737, ne contient pas la modulation. Elle commence par un prologue décoratif et largement en dehors de l'action. Le premier acte s'ouvre (après le meurtre de Castor auquel on n'a pas assisté) sur le chœur *Que tout gémisse*, et une scène, toujours en *fa* mineur, le sépare de l'air *Tristes apprêts, pâles flambeaux*. Cette scène s'achève sur la tonique, et l'air, en *mi* bémol, débute abruptement dans le nouveau ton. Usage fréquent chez Rameau : « *Le plus souvent,* écrit Masson, *les tonalités se succèdent par simple juxtaposition des toniques* [...] *rarement Rameau a mis dans ces sortes de raccords une certaine recherche.* »

Il semble que les partitions qui subsistent de la version de 1737 soient très pauvres et ne livrent à peu près rien de l'instrumentation. La version de 1737 est celle suivie par la réduction pour chant et piano d'Auguste Chapuis, d'après les *Œuvres complètes* publiées sous la direction de Saint-Saëns où figurent les deux versions ; celle aussi adoptée pour la reprise de l'été 1991 à Aix, avec une instrumentation reconstituée (et antérieurement par Nikolaus Harnoncourt, dans un enregistrement avec le *Concentus Musicus* de Vienne).

Beaucoup plus dramatique, la seconde version, représentée le 8 janvier 1754, substitue au prologue un premier acte mouvementé : fête, attaque surprise, combat, mort de Castor. Comme dans la première version, mais avec plus de logique, l'acte suivant (devenu le deuxième) s'ouvre sur le deuil des Spartiates et le chœur *Que tout gémisse* ; mais, à la différence de la première version, le compositeur enchaîne ce chœur à l'air *Tristes apprêts, pâles flambeaux.* Et c'est la modulation en trois notes qui effectue le passage du ton de *fa* mineur à celui de *mi* bémol majeur dans l'air chanté par Télaïre pleurant la mort de son amant.

Je connus d'abord cette version d'après la réduction pour piano et chant de Théodore de Lajarte, conforme, dit l'auteur, à la reprise de janvier 1754 où « *Castor et Pollux a subi de la part de ses auteurs des modifications tellement importantes que cette version ne ressemble presque plus à la première version du 24 octobre 1737* ». La fameuse modulation était bien là en effet, mais – surprise – non conforme : au lieu de *fa, la* bémol, *mi* bémol, Lajarte avait écrit *fa, la* bémol, *ré* bécarre. La note caractéristique n'était plus la tonique du nouveau ton, mais la sensible...

Par l'entremise de Gilbert Rouget, M. François Lesure, ancien conservateur en chef du département de la Musique à la Bibliothèque nationale, voulut bien m'envoyer les photocopies de deux partitions de l'époque, l'une imprimée et corrigée par Rameau lui-même, l'autre manuscrite : la note caractéristique est bien un *mi* bémol. Et c'est un *mi* bémol aussi qu'on entend dans l'enregistrement de la version 1754 fait en janvier-février 1982 par les *English Bach Festival Singers* et le *English Bach Festival Baroque Orchestra* sous la direction de Charles Farncombe ; enregistrement obtenu de Radio-France grâce à Didier Eribon. Je remercie tous ceux qui ont ainsi contribué à m'extraire d'un maquis musicologique où, profane, j'étais en passe de me perdre.

Comment s'explique la substitution opérée par Lajarte ? A-t-il pensé qu'entre deux tons relatifs la modulation sur la sensible était plus conforme aux enseignements de l'école, craignant qu'on ne prît celle sur la tonique pour une « niaiserie », risque qu'Adam lui-même avait envisagé mais pour en exclure aussitôt l'idée ? Dans la transcription de Lajarte, la ritournelle de l'air de Télaïre ne semble pas non plus fidèle à la version de 1754, ni même à celle de 1737.

Quoi qu'il en soit, je pouvais enfin essayer de me mettre dans la peau de l'auditeur du XVIIIᵉ siècle, et entendre le passage tel que Rameau l'avait effectivement écrit.

IX

Qu'ai-je au juste entendu ? Une modulation tonale certes, mais qui, si des vieux textes n'avaient pas éveillé mon attention, n'aurait probablement pas frappé par son audace ni même son originalité l'auditeur moyen que je suis. En revanche, l'ensemble que forment (mais seulement dans la version de 1754) le chœur des Spartiates et l'air de Télaïre m'apparaissait d'un seul bloc et d'une étrange beauté. De ce fait, la modulation qui les soude l'un à l'autre prenait une importance beaucoup plus grande que si elle eût été simplement tonale : aspect pour moi secondaire au regard de sa valeur rythmique, métrique et mélodique.

Du chœur des Spartiates, Adam a loué la couleur et l'expression : « *Cette gamme en demi-tons exécutée en trois parties, en imitations [...] produit l'harmonie la plus riche et la plus pittoresque [...] tout cela était tenté pour la première fois [...] il règne dans cet admirable morceau un sentiment de grandeur et de tristesse qu'on peut comprendre en l'écoutant ou en le lisant, mais qu'il serait impossible de faire apprécier autrement que par la citation même de ce chœur.* »

Il est écrit dans le ton de *fa* mineur, mais on dirait que le prélude et les interludes de l'orchestre, tout en descentes

53

chromatiques, s'acharnent à détruire l'idée et la perception même de la tonalité. Or après ce chromatisme ravageur, la modulation s'établit dans une petite forteresse tonale (« *appartient à la basse fondamentale* », souligne l'auteur de la *Réponse*) : les trois notes qui la composent sont les toniques, la première du morceau qui s'achève, la deuxième (*la* bémol) de son relatif, et la troisième, à la fois du morceau qui va suivre (*mi* bémol) et des relatifs des deux autres tons. De plus et peut-être surtout, après un chœur entièrement construit au moyen de petits intervalles, la modulation assure le passage entre un ordre chromatique et un ordre diatonique approchant ou atteignant l'octave, lequel prendra toute son ampleur dans la ritournelle de l'air de Télaïre. En ce sens, le choix du *mi* bémol comme note caractéristique, plus haute d'un demi-ton que la sensible, prépare l'auditeur aux écarts diatoniques dont la coupe métrique ternaire (qu'annonce aussi déjà la modulation) prévaudra dans l'accompagnement de l'air qui suit. La modulation « dit » donc beaucoup plus que le ton. Elle « dit » le passage du chromatique au diatonique, et elle préfigure, sous forme de modèle réduit, le dessin surprenant tracé par les bassons dans l'accompagnement de l'air de Télaïre.

Tout cela paraît si exactement agencé qu'on s'interroge. Dans la version de 1737, les deux morceaux étaient séparés par une longue scène écrite dans le même ton que le chœur, et qui empêchait de percevoir leur unité. Rameau concevait-il celle-ci au départ et a-t-il voulu la rompre ? Ou l'a-t-il découverte après coup et mise en évidence dans la seconde version ? On aimerait connaître la réponse que les spécialistes donnent à ces questions.

D'autant qu'un autre aspect, lié au précédent, doit aussi être considéré.

L'auditeur du XVIIIe siècle, qu'il fût ou non compositeur (mais beaucoup de mélomanes composaient), était sensible à la technique. Il l'était aussi à l'expression, c'est-à-dire à la façon dont la musique parvient à rendre des situations et des émotions. A un auditeur qui reprochait au chœur *Que tout gémisse* une beauté conventionnelle : « *C'est de la musique d'église* », sans rapport figuratif avec la situation, Gluck répondait : « *Et c'est ce qu'il doit être, [car c'] est un véritable enterrement, le corps est présent.* » Nous citons ses propres paroles, ajoute en les soulignant le rédacteur du *Mercure de France* de juillet 1782. (Déjà en 1773 l'auteur anonyme de la *Réponse* discutait la ressemblance prétendue du chœur avec de la musique d'église contre, peut-être, Chabanon écrivant sans signer, dans le *Mercure* : « *Supposons que Rameau ait attaché les plaintes funèbres de* Castor *au premier morceau du Stabat [de Pergolèse], croit-on qu'il y eût perdu au change ?* » ; et dans son livre *De la Musique*, etc. : « *Aussi pensons-nous que le début du* Stabat, *chanté en chœur, et très doux, auprès de la tombe de* Castor, *conviendrait parfaitement à la situation.* ») Dans ce chœur, écrit Rameau lui-même, « *les intervalles chromatiques qui abondent en descendant, peignent des pleurs et des gémissements causés par de vifs regrets* ».

Le commentaire, aussi par Rameau, de l'air de Télaïre illustre cette conviction qu'à chaque choix technique s'attache sans équivoque une valeur expressive. Le texte mérite qu'on le cite : « *Ne se sent-on pas naturellement frappé de componction avec l'Actrice qui chante* Tristes apprêts, *etc. dans l'Opéra de* Castor et Pollux, *au moment de la quinte au-dessous, savoir* fa *qui succède à* ut *sur la dernière syllabe ? et ne se sent-on pas un peu soulagé quand l'*ut *revient immédiatement après sur la* *dernière syllabe de ces autres mots*, pâles flambeaux[1] *sans néanmoins qu'il ne reste en nous quelques vestiges de la première impression* [...] *Qu'on substitue* sol *à* fa, *l'on en sentira bientôt la différence ; l'âme y restera pour lors dans sa même assiette, rien ne la remuera, tout lui deviendra indifférent tant que le même ton subsistera.* »

Berlioz reprend l'argumentation à son compte. Dans l'air de Télaïre, écrit-il, « *chaque note a son importance, parce que chaque note est précisément celle que l'expression demande* [...] *Et le retour du thème, et son mouvement plagal du* la *sur le* mi *tonique bien que* la, *quinte diminuée de l'accord, dût descendre diatoniquement sur* sol *; et cette basse aussi lugubre dans sa morne immobilité que dans sa progression descendante ! Tout concourt à faire de cet air une des plus sublimes conceptions de la musique dramatique.* »

Rameau explique ailleurs que, dans cet air, il a voulu peindre « *le sentiment d'une douleur morne et lugubre* ». C'est toujours ce qu'éprouve un auteur aussi proche de nous que Masson : « *Dans le monologue de Télaïre, l'accompagnement lent et lourd, avec de longs accords et de nombreux silences, produit un effet de tristesse morne et d'accablement* » ; et il adopte lui aussi l'explication de Rameau : « *Au début, ces deux intervalles* [quinte et quarte justes] *employés sous la forme descendante ont je ne sais quoi de farouche, que souligne encore la division de l'octave par la sous-dominante* », laquelle, selon Rameau, est étrangère à la tonique.

Cette unanimité ne doit pas faire oublier qu'il y eut au XVIIIᵉ siècle une polémique autour de l'air de Télaïre. L'article

---

1. En fait *la* bémol et *mi* bémol ; mais « par la méthode des transpositions, on appelle toujours *ut* la tonique des modes majeurs » (*Encyclopédie*, article « Ut »).

déjà cité du *Mercure* paru en avril 1772 sans nom d'auteur (mais attribué à Chabanon) parle sévèrement du monologue *Tristes apprêts*, « *sublime en son temps* [mais qui maintenant] *jette du froid sur les spectateurs* [...] *l'ennui nous glace intérieurement* ». Dans son *Éloge de M. Rameau*, prononcé en 1764 au lendemain de la mort du compositeur, Chabanon avait explicité son opinion : « *Le chant funèbre de Télaïre* [...] *touchant et lugubre, est un récitatif admirable, mais pas un très bel air.* » Son contradicteur anonyme, auteur de la *Réponse*, s'insurge. Il n'eût tenu qu'à Rameau de joindre à l'air de Télaïre un brillant accompagnement. Mais il ne l'a pas voulu : « *Rameau a si adroitement ménagé l'orchestre et combiné avec le chant que cet accompagnement, subordonné à l'action principale, lui donne plus de neuf et semble même ajouter au lugubre du tableau* [...] *L'expression forte et contrainte de l'orchestre aurait affaibli celle de l'actrice* [...] *c'est l'actrice qui doit nous parler et non l'orchestre.* »

Pour moi, c'est le contraire. Loin que « *le monologue semble être une dépendance du chœur* », le chœur m'apparaît comme une préparation de la partie orchestrale du monologue, qui lui donne sa suite logique et l'amène à sa conclusion. Ce que l'auditeur du XVIIIᵉ siècle (sauf Chabanon qui félicitait Gluck, dans le monologue de Renaud au deuxième acte d'*Armide*, d'avoir mis le chant principal dans la symphonie, et confié à l'orchestre le soin d'exprimer les paroles), ce que Rameau lui-même, et Berlioz, et Masson perçoivent en positif, je le perçois moi-même en négatif ; de leur écoute à la mienne, j'assiste à l'inversion de la figure et du fond.

Comme nombre de mes contemporains j'imagine, la mort de Castor, le deuil des Spartiates, le désespoir de Télaïre ne m'émeuvent guère. Nous sommes devenus plus compliqués en matière d'expression des sentiments. Ils nous atteignent par le truchement d'autres musiques : *Don Giovanni, Tristan, Carmen, Tosca* ou *Pelléas...* La ritournelle de l'air de Télaïre m'apparaît dénuée de toute expression, comme un de « *ces accompagnements insolents, et qui se moquent de leur sujet, c'est-à-dire qui n'y ont point un rapport assez sensible* », que raillait un contemporain de Rameau cité par Masson ; si ce n'est qu'il condamnait ce qui fait à mes yeux la vertu de cet accompagnement : développer et justifier, dans une longue phrase, la forme et le contenu de la modulation qui en offrait par anticipation l'esquisse.

Cette ritournelle et les interventions de l'orchestre qui suivent, parce qu'elles me semblent indifférentes aux sentiments humains, me touchent d'une tout autre façon. On croirait leur musique venue d'un autre monde et d'un autre âge : quelque chose comme une cadence de Bach revue par un Stravinski qui lui aurait imprimé sa marque (la saveur prédominante du timbre des bassons évoque l'*Octuor pour instruments à vent*). L'orchestre parle un langage extérieur à l'action dramatique. On ne saurait dire que ce langage exprime quoi que ce soit : sa prégnance est de nature purement musicale.

On perçoit le prélude orchestral à l'air de Télaïre, formellement construit sur le modèle de la modulation qui le prépare, comme un développement de la modulation elle-même. A l'image de celle-ci, il procède par accords de trois notes (à quoi s'ajoutent ici les basses) lentement arpégés et détachés en valeurs d'égale durée. Il tourne autour de l'accord de *mi* bémol et de ses renversements, l'atteint d'abord, puis s'en écarte et y retourne à la fin. Itinéraire inattendu (en raison du recours à de grands intervalles) par lequel ce chant austère et rigoureux réussit à transformer le chromatisme du chœur des Spartiates en un diatonisme poussé lui aussi à l'extrême. Loin de se réduire à faire transition entre deux tons comme l'entendaient les contemporains, la modulation dévoile à l'auditeur la formule complexe qu'appliquera le compositeur pour réaliser, à la façon d'un architecte, un plan conçu en plusieurs dimensions.

Jean-Philippe RAMEAU, *Castor et Pollux*, version de 1754 (Bibliothèque nationale, Vm² 331).

Castor et Pollux.

Castor et Pollux.

En lisant Diderot

X

Quand Diderot exige de l'artiste « *deux qualités essentielles* [...] *la morale et la perspective* », il raisonne sur la peinture comme les amateurs de son temps raisonnaient en musique : « *Dans toute imitation de la nature, il y a le technique et le moral* » ; et plus loin : « *Il y a deux sortes d'enthousiasme : l'enthousiasme d'âme et celui du métier.* » Nous ne portons plus aujourd'hui une attention égale à la forme et au sujet. Ce qui nous intéresse est moins ce que le tableau représente, que comment le peintre a choisi de représenter une scène dont l'intention figurative passe à l'arrière-plan. Devenu en lui-même indifférent, le sujet n'a besoin que de rester accroché au réel : condition nécessaire pour que la peinture ne se perde pas corps et biens dans le naufrage de l'art non figuratif.

Même en l'absence d'intérêt moral, l'intérêt intellectuel reste intact. (L'intérêt moral absent, d'ailleurs, possède une influence négative : la peinture religieuse, fût-elle sublime, émeut moins l'incroyant que les œuvres profanes du même artiste. Car l'incroyant, s'il se posait la question, serait incapable d'accorder à la première un intérêt moral qui ne susciterait chez lui aucune représentation. Même sur ceux qui s'en croient détachés, l'intérêt moral exerce encore une action, mais, si l'on peut dire, à l'envers.)

Loin de moi, donc, l'idée de sous-estimer, à la façon des formalistes, l'importance capitale des analyses iconographiques et iconologiques de Panofsky ; ni, pour se limiter à un exemple, l'intérêt du déchiffrement par Wind de la *Primavera* de Botticelli. Je serais même tenté de le pousser un peu plus loin en remarquant que Chasteté (l'une des trois Grâces) ne tourne pas seulement les yeux vers Mercure. Sur le point de recevoir la flèche de Cupido (Wind l'a vu en premier) elle va s'éprendre de lui qui, occupé de choses célestes, n'en aura cure. En résultera-t-il un amour malheureux, ou un amour partagé mais sage ? Dans les deux cas, le rapport amoureux représenté à gauche serait le symétrique et l'inverse de celui figuré à droite par le couple Zéphyr-Chloris où la passion physique s'affirme. Et d'un couple à l'autre, la polarité active ou passive des sexes s'inverse aussi.

En toute hypothèse, le sujet présente un intérêt intellectuel. Il assigne à l'artiste un problème qu'il doit résoudre, lui impose un ensemble de contraintes d'ordre sémantique (« traiter le sujet »). Ces contraintes s'ajoutent à celles inhérentes à la recherche d'une harmonie formelle : disposition sur une surface de lignes et de couleurs belle en soi. L'œuvre atteint par cette rencontre un degré d'organisation supérieur. Ce qui a valeur de terme dans un système prend valeur de fonction dans l'autre et inversement.

Dans l'*Essai sur l'origine des langues*, Rousseau esquisse une théorie de la peinture, à propos et comme une illustration de ses idées sur la musique. Lui aussi les perçoit à travers un cristal biréfringent : pour la peinture, d'un côté le dessin, de l'autre la couleur ; pour la musique, d'un côté la mélodie, et l'harmonie de l'autre. Comme le dit bien Starobinski, « *Rous-*

seau postule un lien d'homologie entre l'opposition mélodie/ harmonie et l'opposition dessin/couleur ». Pourtant, peinture et musique diffèrent : « *Chaque couleur est absolue, indépendante, au lieu que chaque son n'est pour nous que relatif et ne se distingue que par comparaison.* » (Mais les sons existent indépendamment, comme les couleurs, quand on se borne à les définir par leur nombre de vibrations. Et la peinture, elle aussi, subordonne les propriétés intrinsèques des couleurs aux rapports que l'artiste établit entre elles. Selon qu'il parle de peinture ou de musique, Rousseau considère tantôt les choses, tantôt les relations entre les choses.)

Poussant la comparaison entre les deux arts, on pourrait croire que, par moments, il pressent et condamne l'idée d'une peinture non figurative : « *Supposez un pays où l'on n'aurait aucune idée du dessin, mais où beaucoup de gens passant leur vie à combiner, mêler, nuer les couleurs croiraient exceller en peinture* [en s'en tenant] *à ce beau simple, qui véritablement n'exprime rien, mais qui fait briller de belles nuances, de grandes plaques bien colorées, de longues dégradations de teintes sans aucun trait.* » On resterait dans l'ordre de la sensation pure, ou bien, « *à force de progrès, on viendrait à l'expérience du prisme* » et à la doctrine que l'art de peindre consiste tout entier dans la connaissance et la mise en œuvre des « *rapports exacts qui existent dans la nature* ». L'apologue est saisissant car, sous forme caricaturale, il préfigure l'impasse où s'est trouvé bloqué le premier impressionnisme et le moyen d'en sortir inventé par Seurat.

Tout ce développement, pourtant, paraît inspiré de l'ouvrage de l'abbé Batteux : *Les Beaux-Arts réduits à un même principe*, paru en 1746 (et que Diderot, sous couleur de le combattre, a outrageusement pillé). Je cite : « *Toute musique doit avoir un sens [...] Que dirait-on d'un peintre, qui se contenterait de jeter sur la toile des traits hardis, et des masses de couleurs les plus vives, sans aucune ressemblance avec quelque objet connu ? L'application se fait d'elle-même à la musique* [...] *La mieux calculée dans tous ses tons, la plus géométrique dans ses accords, s'il arrivait, qu'avec ces qualités elle n'eût aucune signification ; on ne pourrait la comparer qu'à un Prisme, qui présente le plus beau coloris, et ne fait point un tableau. Ce serait une espèce de clavecin chromatique, qui offrirait des couleurs et des passages, pour amuser peut-être les yeux, et ennuyer sûrement l'esprit.* »

Plus original dans un autre texte, Rousseau commence par des considérations qui ne manquent pas d'audace sur le rôle de la convention dans la perception esthétique : « *Il rentre de l'arbitraire jusque dans l'imitation.* » Cela est vrai de l'harmonie dont les prétendues lois sont approximatives et nous flattent non par leur vérité, mais par un effet d'habitude. Cela est vrai aussi en peinture : « *Si le sens du spectateur ne prend pas le change et se borne à voir le tableau tel qu'il est, il se trompera sur tous les rapports et les trouvera tous faux.* » Dans le ton d'un tableau, dans l'accord des couleurs, dans certaines parties du dessin « *il entre peut-être plus d'arbitraire qu'on ne pense, et* [...] *l'imitation peut même avoir des règles de convention* ».

Puis vient ce surprenant morceau : « *Pourquoi les peintres n'osent-ils pas entreprendre des imitations nouvelles, qui n'ont contre elles que leur nouveauté, et paraissent d'ailleurs tout à fait du ressort de l'art ? Par exemple, c'est un jeu pour eux de faire paraître en relief une surface plane : pourquoi donc nul d'entre eux n'a-t-il tenté de donner l'apparence d'une surface plane à un relief ? S'ils font qu'un plafond paraisse une voûte, pourquoi ne font-ils pas qu'une voûte paraisse un plafond ? Les ombres, diront-ils, changent d'apparence à divers points de vue ; ce qui n'arrive pas de même aux surfaces planes. Levons cette difficulté, et prions un peintre de peindre et colorier une statue de manière qu'elle paraisse plate, rase, et de la même couleur, sans aucun dessin, dans un seul jour et sous un seul point de vue.* » Par anticipation, Rousseau dévoile peut-être ici un des arcanes du cubisme. Je ne sais si ces peintres ont jamais colorié des statues ; mais quand ils en mettent une dans leur tableau, ils détruisent son volume, la représentent plate, suppriment les ombres ou les transforment en tons.

Dans la peinture, Rousseau distingue d'un côté l'agrément sensuel procuré par les couleurs, dont la valeur est purement décorative, de l'autre la connaissance de leurs lois physiques qui n'apporte rien à l'art. Même dualité en musique quand on la réduit à l'harmonie : celle-ci ne laisse le choix qu'entre le plaisir sensible des sons et l'application des lois qui les engendrent dans une musique savante qui, elle, ne procure aucun plaisir.

S'agissant de l'autre aspect de la peinture et de la musique : le dessin dans un cas, la mélodie dans l'autre, Rousseau leur reconnaît au contraire une fonction descriptive : « *C'est l'imitation seule qui les élève à ce rang* [celui des beaux-arts]. » Cette réduction du dessin à l'anecdote nous éloigne de la conception que se fera Ingres du dessin en disant qu'il est « *la probité de l'art* » : ce par quoi l'œuvre atteint à une rigueur de composition et à un équilibre interne. Mais Rousseau, comme Diderot, fait éclater les beaux-arts entre la technique et la figuration, sans voir qu'ils sont tout entiers dans l'espace entre les deux.

XI

Dans chacun de ses tableaux, Poussin raconte une histoire. Les contemporains admiraient par-dessus tout la façon dont, pour la mieux détailler, il savait multiplier les personnages. Rien de moins anecdotique pourtant, car pour parler le langage des linguistes, l'organisation d'un tableau de Poussin est paradigmatique, non syntagmatique. Il écrit au sujet de *La Manne* : « *J'ai trouvé une certaine distribution* [...] *et certaines attitudes naturelles, qui font voir dans le peuple juif la misère et la faim où il était réduit, et aussi la joye et l'allégresse où il se trouve ; l'admiration dont il est touché, le respect et la révérence qu'il a pour le législateur.* » Poussin rassemble ainsi sur sa toile les données du problème ; il n'en fait pas des incidents qui se succéderaient dans le temps.

Dans *Pyrame et Thisbée* qui est à Francfort (scène d'orage), l'étang aux eaux immobiles paraît démentir l'agitation des arbres tordus par le vent. Mais, de même que Poussin dit avoir mis dans son tableau des figures animées de mouvements divers qui « *jouent leur personnage selon le temps qu'il fait* », il y rassemble des aspects de l'orage perçus à des moments différents : tempête déchaînée, et calme angoissant qui précède le premier coup de tonnerre tandis que s'obscurcit le ciel. Cette façon, typique de Poussin, de juxtaposer les possibles (on la remarque déjà dans *La Mort de Germanicus*) est aux antipodes d'un récit.

De même *Le Jugement de Salomon* du Louvre. Rien dans l'histoire ne justifie (et certainement pas le récit biblique I Rois III, 16-27) que l'enfant mort soit produit devant le roi : il est mort, tout le monde est d'accord là-dessus, c'est une affaire réglée. Mais il importe à Poussin que tous les éléments de la situation soient simultanément présents, même s'ils ne coïncident pas dans le temps. Comme dans la statuaire médiévale où l'on reconnaît chaque saint à son attribut distinctif, Poussin représente la mauvaise mère conforme à sa définition, qui est celle de vraie mère de l'enfant mort : il est donc là, dans ses bras (ce qui permet à Poussin de composer une merveilleuse harmonie de couleurs avec le teint bilieux de la femme, le petit cadavre livide, le rouge sombre et le vert olive du vêtement, qui eût été impossible s'il eût dû répartir ces tons entre les deux femmes). La règle de l'unité de temps ne doit pas faire obstacle à la recherche de l'harmonie picturale. A propos du *Frappement du rocher*, Poussin revendique cette liberté du peintre, « *assez bien instruit de ce qui est permis* [...] *dans les choses qu'il veut représenter, lesquelles se peuvent prendre et considérer comme elles sont encore ou comme elles doivent être* ».

Pas plus que Poussin, ses contemporains n'ignoraient le problème, mais, à son exemple, ils refusaient de se laisser arrêter par lui. Quand Le Brun fit une conférence sur *La Manne* devant l'Académie royale de peinture et loua sans réserve le tableau, quelqu'un objecta que Poussin n'aurait pas dû représenter les Israélites dans une si extrême misère « *puisque, quand la manne tomba dans le désert, le peuple avait déjà été secouru par les cailles* ». A cela, Le Brun repartit qu'il n'en est pas de la peinture comme de l'histoire : « *Le peintre n'ayant qu'un instant dans lequel il doit prendre les choses qu'il veut figurer, pour représenter ce qui s'est passé dans ce moment-là, il est quelque fois nécessaire qu'il joigne ensemble beaucoup d'incidents qui ont précédé, afin de faire comprendre le sujet qu'il expose.* » L'historien, dit de son côté Félibien, « *représente successivement telle action qui lui plaît* » tandis que le peintre doit « *joindre ensemble plusieurs événements arrivés en divers temps* ».

En cette matière comme en d'autres, le XVIIIe siècle se montre parfois rétrograde (peut-être fallait-il que l'académisme se raidît et s'ossifiât pour que l'esprit empiriste et rationaliste pût prendre son essor). Quoi qu'il en soit, Diderot refuse au peintre la latitude que lui laissaient Poussin, Le Brun et Félibien : « *Entre ces mouvements* [représentés dans un tableau], *si j'en remarque quelqu'un qui soit de l'instant qui précède ou de l'instant qui suit, la loi de l'unité est enfreinte.* »

Diderot reprend la question dans l'article « Encyclopédie » et, pour surmonter la difficulté, il esquisse une intéressante théorie. Puisque « *la peinture étant permanente, elle n'est que d'un état instantané* », elle ne peut offrir de la nature que des tableaux discontinus : « *Multipliez tant qu'il vous plaira ces figures, il y aura de l'interruption.* » La peinture renvoie donc à un problème philosophique très général auquel la théorie des nombres est déjà confrontée : « *Comment mesurer toute quantité continue par une quantité discrète ?* »

Or, poursuit Diderot, le langage illustre une situation analogue car il y a « *dans les expressions des nuances délicates qui restent nécessairement indéterminées* », et, de ce point de vue, l'encyclopédiste est arrêté, dans son projet de transmettre les connaissances, « *par l'impossibilité de rendre toute la langue intelligible* ».

Mais, à l'inverse de ce qui se passe pour la peinture, le langage dispose d'un moyen terme : moins nombreuses que les mots qui les contiennent, les racines révèlent une continuité entre des mots discrets de même nature : elles représentent par rapport à eux des états intermédiaires analogues à ceux que la peinture est, elle, incapable de représenter.

Ce serait donc l'*invariance* qui permettrait de surmonter l'antinomie du continu et du discret. Dans cet essai de rapprochement de la peinture et du langage, Diderot s'arrête toutefois en route. On attendrait qu'il s'interrogeât sur la notion d'invariance appliquée au problème propre de la peinture. Au lieu de cela, il semble admettre que les tableaux de Greuze l'ont déjà résolu : « *C'est la chose comme elle a dû se passer* », s'écrie-t-il dans le *Salon* de 1759 au sujet de *L'Accordée de village*. Mais il n'apparaît nulle part qu'il ait recherché, dans le style et dans les principes de composition de Greuze, en quoi consiste cette invariance. En fait, l'enthousiasme de Diderot pour Greuze relève d'autres considérations.

Je le crois comparable à celui ressenti en leur temps, même par les amateurs de la plus belle peinture (Diderot n'admirait-il pas Chardin ?), devant l'invention du cinéma. Greuze a inventé lui aussi quelque chose : représenter l'instant par des moyens si réalistes et si détaillés qu'ils donnent, fût-ce à cause du temps requis pour les inspecter, l'illusion de la durée. Richardson l'avait déjà fait en littérature, il suffisait de transposer : « *Le monde où nous vivons est le lieu de la scène ; le fond de son drame est vrai ; ses personnages ont toute la réalité possible ; ses caractères sont pris au milieu de la société ; ses incidents sont dans les mœurs de toutes les nations policées* [...]

Sans cet art, mon âme se pliant avec peine à des biais chimériques, l'illusion ne serait que momentanée et l'impression faible et passagère. »

Ce que Diderot admire chez Richardson et chez Greuze est donc, très exactement, ce qu'on demandera plus tard à l'art cinématographique : « *Les éclats des passions ont souvent frappé vos oreilles ; mais vous êtes bien loin de connaître tout ce qu'il y a de secret dans leurs accents et dans leurs expressions. Il n'y en a aucun qui n'ait sa physionomie ; toutes ces physionomies se succèdent sur un visage, sans qu'il cesse d'être le même ; et l'art du grand poète et du grand peintre est de nous montrer une circonstance fugitive qui nous avait échappé.* » On ne saurait mieux décrire ce que nous demandons au gros plan. Et c'est le côté « western » avant la lettre qui captive Diderot chez Joseph Vernet : « *avec un art infini, entremêler le mouvement et le repos, le jour et les ténèbres, le silence et le bruit* ».

L'histoire de l'art, parfois, joue de l'accordéon. Avec ses « *nécessaires longueurs* », Richardson a d'abord étiré la littérature que le cinéma instantané de Greuze comprimera dans ses tableaux (mais très longs à décrire, voir les *Salons*). A son tour, le cinéma qui opère au moyen d'images, comme la peinture, les étirera en les multipliant dans la durée, comme la littérature le fait avec les mots.

XII

Au début de l'article « Beau », paru en 1751 dans le premier volume de l'*Encyclopédie*, Diderot annonce qu'il va résoudre le problème de la nature du Beau devant quoi échouèrent tous ses devanciers. En fait il répète une très vieille idée philosophique à laquelle les ouvrages théoriques de Rameau ont ajouté l'éclat de la démonstration pour ce qui concerne la musique : le Beau consiste en la perception de rapports. Quels rapports ?

Préoccupé de ne pas séparer l'abstrait du concret, la forme du contenu, l'idée de la chose, Diderot voit dans la notion de rapport une abstraction tirée par l'entendement d'une expérience si commune qu'« *il n'y a pas de notion, si ce n'est peut-être celle d'existence, qui ait pu devenir aussi familière aux hommes* ». Mais si la notion de rapport « *ne découle pas d'une autre source que celle d'existence* », et si donc tout, dans la nature, se prête à la perception de rapports, entre tous ces rapports lesquels fondent la notion du Beau ? Par quoi se distinguent-ils des autres ?

En deux occasions, Diderot a tenté de donner une réponse. Dans la *Lettre sur les sourds et muets*, contemporaine de l'article « Beau », avec sa théorie des « hiéroglyphes » qui reconnaît à la poésie le pouvoir tout à la fois de dire et de représenter les choses : « *Dans le même temps que l'entendement les saisit, l'imagination les voit, et l'oreille les entend.* » Le discours poétique apparaît ainsi comme « *un tissu d'hiéroglyphes entassés les uns sur les autres* ». Il illustre cette théorie par divers exemples tirés de la poésie ancienne et moderne, il les analyse sous les angles phonétique et prosodique. Une analyse structurale portant aujourd'hui sur les mêmes œuvres retiendrait volontiers, comme première étape, la plupart de ses observations.

Cette façon de concevoir la poésie est très moderne, mais appartient-elle à Diderot ? On a remarqué qu'elle existe déjà chez Batteux, mais ce n'est pas tout. La *Lettre sur les sourds et muets* est d'un bout à l'autre une polémique acerbe contre Batteux. Or, quand Diderot affirme avoir triomphé de son adversaire en lui démontrant « *que l'harmonie syllabique et l'harmonie périodique engendroient une espèce d'hiéroglyphe particulier à la poésie* », il ne fait que reprendre la théorie des trois harmonies de Batteux, présentées par celui-ci dans le même ordre, avec cette seule différence que la troisième, qui appartient en propre à la poésie, est appelée « artificielle » par l'un, « accidentelle » par l'autre.

Diderot est si perméable aux idées d'autrui qu'il croit souvent qu'elles sont de lui. Avec une bonne foi désarmante, il reproche ensuite à leurs auteurs de ne pas les avoir eues, et il leur attribue celles qu'il professait lui-même quand il ne les avait pas encore lus. Tour de passe-passe qui n'est pas sans exemple aujourd'hui.

Je ne prétendrai pas que l'abbé Batteux fut un penseur profond. Mais à sa grande idée que l'art a pour seul but d'imiter la « belle nature », Diderot oppose un sot argument : un peintre peignant une chaumière préférera planter devant

« *un vieux chêne gercé, tordu, ébranché, et que je ferais couper s'il était à ma porte* ». Car Batteux avait expliqué par avance pourquoi des objets déplaisants dans la Nature peuvent être revêtus d'agréments dans l'Art : « *Dans la Nature ils nous faisoient craindre notre destruction, ils nous causoient une émotion accompagnée de la vue d'un danger réel : et comme l'émotion nous plaît par elle-même, et que la réalité du danger nous déplaît, il s'agissait de séparer les deux parties de la même impression. C'est à quoi l'Art a réussi : en nous présentant l'objet qui nous effraie, et en se laissant voir en même temps lui-même, pour nous rassurer, et nous donner, par ce moyen, le plaisir de l'émotion sans aucun mélange désagréable.* »

Plusieurs années après la *Lettre*, Diderot (qui ne croyait pas alors la théorie des hiéroglyphes applicable à la peinture ; ou plutôt, sur ce point, il se contredit) tenta, dans le *Salon* de 1763, d'ouvrir une autre voie. Les couleurs du tableau, dit-il, ne reproduisent pas celles du modèle, elles offrent avec celles-ci une homologie : « *La grande magie consiste à approcher de la nature et à faire que tout perde ou gagne proportionnellement.* » Peindre n'est pas imiter, mais traduire. Cette fois encore, pourtant, l'essai tourne court ; quelques pages plus loin, Diderot l'avoue : « *On n'entend rien à cette magie.* » Dans le *Salon* de 1767, il ne restera plus rien des hiéroglyphes, sinon l'idée d'« *un art pas plus de convention que les effets de l'arc-en-ciel* » : correspondance mystérieuse entre les idées et les sons qu'il réduit à ses effets sensibles sans comprendre qu'elle est d'abord de nature intellectuelle.

Pour éviter ces impasses, il eût fallu reconnaître que le Beau ne se réduit pas à la simple perception de rapports, car cela est vrai de n'importe quel objet. Dans un bel objet, ces rapports sont eux-mêmes en rapport, ce qui lui confère une plus grande densité. Diderot n'admettait que les rapports simples ; il les proscrivait compliqués. Au contraire, l'objet beau rompt ou affaiblit les rapports simples qui relient entre eux les objets de l'expérience ordinaire et auxquels, en tant qu'objet parmi d'autres, il est lui-même relié. On prend acte de cet effet, ou on l'assiste, en détachant l'objet d'art. Poussin traduisait bien cette nécessité quand il demandait qu'on ornât son tableau de *La Manne* « *d'un peu de corniche* [...] *afin que, en le considérant en toutes ses parties, les rayons de l'œil soient retenus et non point épars au dehors, en recevant les espèces des autres objets voisins qui, venant pêle-mêle avec les choses dépeintes, confondent le jour* ».

Ces rapports multipliés au sein de l'œuvre d'art, aux dépens de ceux qu'elle entretient avec le reste, l'élèvent à une plus grande puissance. Que ces rapports soient en rapport entre eux fait d'elle une entité qui existe en elle-même et par elle-même. Comme l'a dit définitivement Kant : finalité (interne) sans fin (externe) ; en d'autres termes, un objet absolu.

Les tentatives avortées de Diderot tiennent en bonne partie à cette impatience des penseurs du XVIIIe siècle, pourtant férus de Bacon, devant les impératifs de l'expérience. Envers celle-ci, ils éprouvent une sorte d'avidité. Aussi, quand elle leur manque, ils l'inventent ; ou bien, prenant conscience qu'ils perdent pied, ils retombent dans l'abstraction. Par deux fois Diderot a compris que les problèmes de l'esthétique ne peuvent être résolus qu'en traitant de cas concrets : dans son analyse « hiéroglyphique » de quelques vers grecs, latins ou français, mais l'idée n'est pas de lui, et il s'arrête aux sonorités et aux mètres ; et dans quelques réflexions solides sur Chardin auxquelles il ne se sent pas tenu pour parler d'autres peintres. Rendons-lui cette justice : il est conscient de ces insuffisances. Dans l'article

« Beau », il se les oppose à lui-même. Mais comment croit-il les résoudre ? De façon purement négative, en recensant tous les cas où les hommes perçoivent des rapports qu'ils prennent à tort pour des rapports esthétiques, et sans proposer une définition distinctive de ceux qui le seraient vraiment, c'est-à-dire tout le reste qu'il laisse suspendu dans le vague.

En fait, Diderot ne parvient pas à surmonter, par une réflexion sur des cas concrets qui eût requis plus d'assiduité, l'antinomie de l'idée et de la chose, du sensible et de l'intelligible, devant laquelle échoue finalement son article. L'antinomie se perpétue jusque dans les *Salons* (où pourtant Diderot a sous les yeux des objets particuliers), à l'échelle réduite d'une opposition entre le moral et le technique : pôles entre lesquels il oscille selon le peintre qu'il regarde (Greuze ou Chardin), l'humeur dans laquelle il se trouve ou le moment qui passe ; mais qui, chez lui, ne se rejoignent pas ni ne laissent apparaître l'entre-deux.

XIII

Kant a donné sa forme définitive à la notion d'un entre-deux où se situerait le jugement esthétique, subjectif comme le jugement de goût, mais qui, comme le jugement de connaissance, prétend être valide universellement. La découverte des fractales révèle, me semble-t-il, un autre aspect de cet entre-deux, qui ne concernerait pas seulement le jugement esthétique, mais les objets mêmes auxquels ce jugement reconnaît la qualité d'œuvre d'art.

Pour peu qu'on s'exerce à les repérer, des objets extraordinairement communs dans la nature sont des fractales qui, très souvent, éveillent en nous un sentiment esthétique. Ces objets ne sont-ils pas « entre deux », et cela dans un double sens ? Leur réalité est intermédiaire entre la ligne et le plan ; et les algorithmes qui les engendrent – application répétée d'une fonction à ses produits successifs – requièrent en plus un filtrage qui discrimine ou élimine certaines valeurs obtenues par le calcul (selon qu'elles tombent ou non dans le champ, qu'elles sont paires ou impaires, à gauche ou à droite ; ou bien d'après d'autres critères).

Les représentations graphiques ou acoustiques de ces calculs démontrent que, rapportées par exemple à la peinture, les fractales illustrent les formes les plus variées de ce que, pour simplifier, j'appellerai l'art décoratif. Selon la méthode de calcul, les valeurs initiales choisies, l'emploi de nombres complexes ou de nombres réels, on a même l'impression de reconnaître des styles distincts et attestés : décors orientaux, Art nouveau, art des Celtes et ses prolongements irlandais (il est frappant que les décors celtiques soient eux aussi le produit d'un filtrage. L'artiste trace au compas de nombreux cercles qui s'intersectent ; des arcs de cercle ainsi formés, il retient les uns et il efface les autres). A certains produits du calcul on hésite à trouver une ressemblance précise. On doit pourtant convenir qu'ils correspondent à des styles qui ont pu ou qui pourraient exister.

On peut mettre également les fractales en musique. Leur représentation sous forme d'intervalles et de durées offre les caractères d'une musique elle aussi décorative, de laquelle on n'attendrait rien de plus qu'une ambiance sonore bien tolérée par l'oreille.

Ce qui donne un certain piquant à ces résultats, c'est qu'il revient à un grand peintre, qui était aussi passionné de musique, d'avoir aperçu et exprimé dans un langage moderne la nature et la réalité des fractales (découvertes, ainsi que leur théorie mathématique, en 1975 par Benoit Mandelbrot) à partir des données de l'expérience sensible. Dans son *Journal* à la date du 5 août 1854, Delacroix fait des remarques (reportées, dit-il, d'après une note en marge d'un livre de dessin, écrite dans la forêt le 16 septembre 1849), que je transcris :

« *La nature est singulièrement conséquente avec elle-même : j'ai dessiné à Trouville des fragments de rocher au bord de la mer, dont tous les accidents étaient proportionnés, de manière à donner sur le papier l'idée d'une falaise immense ; il ne manquait qu'un* objet propre à établir l'échelle de grandeur. Dans cet instant, j'écris à côté d'une grande fourmilière, formée au pied d'un arbre, moitié sur de petits accidents de terrains, moitié par les travaux patients des fourmis ; ce sont des talus, des parties qui surplombent et forment de petits défilés, dans lesquels passent et repassent les habitants d'un air affairé et comme le petit peuple d'un petit pays, que l'imagination peut grandir dans un instant. Ce qui n'est qu'une taupinière, je le vois à volonté comme une vaste étendue entrecoupée de rocs escarpés, de pentes rapides, grâce à la taille diminuée de ses habitants. Un fragment de charbon de terre ou de silex, ou d'une pierre quelconque, pourra présenter dans une proportion réduite les formes d'immenses rochers.

« Je remarque à Dieppe la même chose dans les rochers à fleur d'eau que la mer recouvre à chaque marée ; j'y voyais des golfes, des bras de mer, des pics sourcilleux suspendus au-dessus des abîmes, des vallées divisant, par leurs sinuosités, toute une contrée présentant les accidents que nous remarquons autour de nous. Il en est de même pour les vagues de la mer, qui sont divisées elles-mêmes en petites vagues, se subdivisant encore et présentant individuellement les mêmes accidents de lumière et le même dessin. Les grandes vagues de certaines mers, du Cap par exemple, dont on dit qu'elles ont quelquefois une demi-lieue de large, sont composées de cette multitude de vagues, dont le plus grand nombre est aussi petit que celles que nous voyons dans le bassin de notre jardin.

« J'ai remarqué souvent, en dessinant des arbres, que telle branche séparée est elle-même un petit arbre : il suffirait, pour le voir ainsi, que les feuilles fussent proportionnées. »

Le texte n'étonne pas seulement par les exemples choisis : côte maritime, arbre, dont la théorie des fractales fera ses classiques. Delacroix énonce avec une parfaite clarté la propriété distinctive des objets fractals qui, comme on sait, est d'avoir une structure invariante à toutes les échelles ; structure invariante, dit-on aussi, telle qu'une partie, si grande ou si petite qu'on la choisisse, a la même topologie que le tout. Pour s'en tenir à un exemple, le caractère fractal d'une composition musicale résulte du fait que le rapport entre un petit nombre de notes contiguës se retrouve inchangé quand, dans la même œuvre, on compare ces fragments à des morceaux plus étendus.

Ce type de construction s'observe dans l'œuvre des grands maîtres. Balzac disait déjà que « *chez Beethoven, les effets sont pour ainsi dire distribués d'avance [...] les parties d'orchestre des symphonies de Beethoven suivent les ordres donnés dans l'intérêt général et sont subordonnées à des plans admirablement bien conçus* ». Un musicologue contemporain, Charles Rosen, l'explique dans des termes qui empruntent presque le langage de la théorie des fractales : « *Les modulations à grande échelle de Beethoven sont faites du même matériau que les détails les plus infimes, et mises en valeur de façon à ce que la parenté s'impose immédiatement à l'audition [...] on a le sentiment* d'entendre *la structure.* » Et il revient plus loin sur « *l'élargissement de la structure à grande échelle* ».

Je l'ai toutefois remarqué : la puissance des algorithmes fractals ne leur permet d'engendrer, tant en peinture qu'en musique, que ces genres mineurs que j'ai appelés décoratifs, même si, au moins pour la peinture, ils dépassent souvent en raffinement et en complexité tout ce que les décorateurs ont effectivement inventé. Un fossé sépare pourtant ces séduisants objets d'un tableau ou d'une œuvre musicale authentiques. La distance est infranchissable en fait. Pourrait-on concevoir qu'elle ne le soit pas en droit ? On remarquerait que le filtrage requis pour engendrer les fractales offre une analogie avec celui qu'opèrent par étapes les organes des sens et les centres nerveux, qui transmettent au cerveau certaines seulement des impressions enregistrées à la périphérie.

Si, de ces données primaires, le cerveau extrayait des propriétés invariantes (modulées par l'expérience, l'histoire individuelle, etc.), on pourrait s'interroger sur la genèse de l'œuvre d'art. Ne résulterait-elle pas d'une action en retour du schème cérébral qui, projeté dans l'œuvre, effectuerait la fusion de l'impression sensible et d'un objet de pensée ?

Les paroles et la musique

XIV

Jakobson le soulignait il y a soixante ans : « *En termes linguistiques, la particularité de la musique par rapport à la poésie réside en ce que l'ensemble de ses conventions (langue, selon la terminologie de Saussure) se limite au système phonologique et ne comprend pas de répartition étymologique des phonèmes, donc pas de vocabulaire.* »

La musique n'a pas de mots. Entre les notes, qu'on pourrait appeler des sonèmes (puisque, comme les phonèmes, les notes n'ont pas de sens en elles-mêmes ; le sens résulte de leur combinaison), et la phrase (de quelque façon qu'on la définisse), il n'y a rien. La musique exclut le dictionnaire.

Rousseau paraît parfois admettre le contraire : « *Un dictionnaire de mots choisis n'est pas une harangue, ni un recueil de bons accords une Pièce de musique.* » Mais les accords, même « bons », ne sont pas comparables à des mots. Mieux que personne, Rousseau sait qu'on ne peut distinguer à ce point les notes et les accords. Chaque son est par lui-même un accord, car « *il porte avec lui tous les sons harmoniques concomitants* » ; argument que Rousseau tourne perfidement contre Rameau : « *L'harmonie est inutile puisqu'elle est déjà dans la mélodie. On ne l'ajoute pas, on la redouble.* » Batteux l'avait dit avec encore plus de vigueur : « *Un simple cri de joie a, même dans la Nature, le fonds de son harmonie et de ses accords.* »

La science acoustique du XIXe siècle le confirme : « *Les sons musicaux sont déjà, par eux-mêmes, des accords de sons partiels, et* [...] *inversement, dans certaines circonstances, les accords peuvent aussi représenter les sons.* » Si donc les accords et les sons se rapprochent au point de parfois et peut-être toujours se confondre, il n'existe entre eux et la phrase musicale rien qui ressemble à ce niveau d'organisation intermédiaire qui, dans le langage articulé, est constitué par les mots.

Le contestera-t-on pour des musiques différentes de la nôtre, traditionnelles ou exotiques, où, comme dans la musique japonaise, les éléments premiers ne sont pas des notes, mais des cellules rythmiques et mélodiques, « *unités minimales communes à tous les compositeurs et exécutants* » ? Même dans ce cas, on ne trouve rien qui soit de l'ordre du mot. Ces unités sont en fait des « mini-phrases » comparables aux formules qu'utilisent les bardes et autres chanteurs populaires, et que les spécialistes définissent comme des groupes de mots « *régulièrement employés dans les mêmes conditions métriques pour exprimer une idée donnée et essentielle* » ; de l'ordre de la phrase donc, même si ces phrases sont stéréotypées.

Les hommes parlent ou ont parlé des milliers de langues mutuellement inintelligibles, mais on peut les traduire parce qu'elles possèdent toutes un vocabulaire qui renvoie à une expérience universelle (même différemment découpée par chacune). Cela est impossible en musique où l'absence de mots fait qu'existent autant de langages que de compositeurs et, peut-être, à la limite, que d'œuvres. Ces langages sont intraduisibles les uns dans les autres. Bien qu'on ne l'ait pas tenté ou fort peu, on pourrait concevoir qu'ils soient au moins transformables.

Au cours d'une conversation avec Wagner, Rossini aurait dit, selon le témoin qui l'a rapportée : « *Qui donc, dans un orchestre déchaîné, pourrait préciser la différence de description entre une tempête, une émeute, un incendie ?... Toujours convention !* » On concédera qu'un auditeur non averti ne pourrait dire qu'il s'agit de la mer dans celle de Debussy ou dans l'ouverture du *Vaisseau fantôme* : il faut un titre. Mais ce titre sitôt connu, en écoutant *La Mer* de Debussy, on la voit, tandis qu'en écoutant *Le Vaisseau fantôme*, on sent son odeur.

La réponse de Rossini au problème de l'imitation ne suffit pas. Plus profonde apparaît la réflexion de penseurs du XVIIIᵉ siècle presque oubliés. Michel-Paul-Guy de Chabanon (1730-1792), violoniste et compositeur en même temps que philosophe, affirme, d'accord avec l'abbé André Morellet (1727-1819), que la musique n'imite pas les effets perçus par nos sens et même, à proprement parler, qu'elle n'exprime pas nos sentiments. Réduite à la seule mélodie, la musique ne pourrait rendre la colère ou la rage : dans la colère d'Achille, Gluck étouffe la voix sous soixante instruments : « *La colère est un sentiment qui ne se chante pas.* » Pourtant, le problème de l'imitation a embarrassé Morellet. Il consent à faire une place à celle-ci pourvu qu'elle soit imparfaite ; d'où, de façon paradoxale, son avantage sur la nature (le chant du rossignol paraphrasé en musique plaît plus que sa reproduction par des moyens mécaniques). Chabanon s'étonne : « *Pourquoi la poésie, la peinture, la sculpture doivent-elles donner des images fidèles, et la musique infidèles ? Mais si la musique n'est pas l'imitation de la nature, qu'est-elle donc ?* » Fausse question :

comme la vue et l'odorat, l'oreille a des jouissances immédiates et, de ce fait, la musique plaît indépendamment de toute imitation.

Il arrive cependant que la musique présente pour l'auditeur un sens. Phénomène que Chabanon, de nouveau d'accord avec Morellet, explique par l'analogie entre tels ou tels de nos sentiments et les impressions causées par la musique. C'est sur nos sens, et uniquement sur nos sens, que la musique agit directement (même dans le chant vocal existe « *un charme antérieur à celui de l'expression* »). Mais l'esprit s'immisce au plaisir des sens : dans des sons sans signification déterminée, « *il cherche des rapports, des analogies avec divers objets, avec divers effets de la nature* [...] *les moindres analogies, les plus faibles rapports lui suffisent* ». Qu'on remarque les morceaux où « *les bons maîtres* » ont voulu peindre le même objet physique, « *on trouvera que toujours ou presque toujours* », avait écrit Morellet, « *ils ont une marche semblable et quelque chose de commun, soit dans le mouvement, soit dans le rythme, soit dans les intervalles, soit dans le mode* ». Chabanon ajoute des exemples : balancement faible et continué de deux notes pour rendre le murmure d'un ruisseau ; fusée de notes montantes ou descendantes pour exprimer l'éclair, l'effort du vent ou l'éclat du tonnerre ; beaucoup de basses jouant à l'unisson et faisant rouler la mélodie pour la mer, etc.

Des analyses plus poussées seraient indispensables pour déceler des structures communes, dans des œuvres connues dont les auteurs se sont proposé d'évoquer tel phénomène naturel ou moral. Comme Morellet et Chabanon, je ne doute pas qu'on atteindrait des invariants.

(Dans le deuxième acte du *Chevalier à la rose* et les dernières mesures de *Pelléas et Mélisande*, l'auditeur perçoit une analogie entre des motifs formés de dissonances lentement égrenées. Qu'offrent donc de commun la réflexion désespérée d'Arkel sur la condition humaine après la mort de Mélisande, et le coup de foudre que ressentent à leur première rencontre Octavian et Sophie ? Leur amour naît dans des circonstances qui semblent ne pas laisser d'espoir. D'où, dans ce cas comme dans l'autre, l'expression d'une mélancolie douloureuse qui se manifeste par des *pincements au cœur* : locution où je vois le dénominateur commun aux deux situations, et que rend presque physiquement la musique.)

Faisant un pas de plus, Chabanon – qui s'intéressait aux araignées et leur jouait des airs de violon pour savoir à quel genre de musique elles se montraient sensibles – propose une fort belle image qui donne à la notion de correspondance toute son ampleur. La philosophie de l'art, dit-il, aura pour mission la plus haute d'avertir chaque sens pris en particulier de ce que les autres sens lui font éprouver : « *C'est ainsi que l'araignée, placée au centre de sa toile, correspond avec tous les fils, vit en quelque sorte dans chacun d'eux, et pourrait (si, comme nos sens, ils étaient animés) transmettre à l'un, la perception que les autres lui auraient donnée.* » (L'araignée était à la mode : on retrouve la même image des fils de la toile, prolongement de la conscience, dans *Le Rêve de d'Alembert*, écrit en 1769 mais paru seulement en 1831, bien après la mort de Chabanon.)

Ces correspondances baudelairiennes ne relèvent pas d'abord de la sensibilité. Leur retentissement sur les sens dépend d'une opération intellectuelle (méconnue par Diderot dans sa théorie des hiéroglyphes) : « *Ce n'est pas à l'oreille proprement que l'on peint en musique ce qui frappe les yeux : c'est à l'esprit qui, placé entre ces deux sens, compare et combine leurs sensations* », et qui saisit des rapports invariants entre eux. Ces rapports n'ont pas besoin qu'on leur cherche un contenu : ce sont des formes : « *Un ordre diatonique de notes qui descendent, ne peint pas plus la chute des frimats* [sic], *que la chute de tout autre chose.* » Un musicien veut-il évoquer le lever du jour ? il peint « *non pas le jour et la nuit, mais un contraste seulement, et un contraste quelconque : le premier que l'on voudra imaginer, sera tout aussi bien exprimé par la même musique, que celui de la lumière et des ombres* ». Les termes ne valent pas par eux-mêmes ; seules importent les relations.

XV

Double paradoxe. En France, en plein XVIIIe siècle, les principes sur lesquels Saussure fondera la linguistique structurale sont clairement énoncés, mais à propos de la musique, par un auteur qui s'en fait une idée analogue à celle que nous devons aujourd'hui à la phonologie ; et cela, bien qu'il tienne le langage articulé et la musique pour des modes d'expression totalement étrangers l'un à l'autre.

La musique est faite de sons. Or « *un son musical ne porte avec soi aucune signification* [...] *Chaque son est à peu près nul, il n'a ni sens ni caractère propre* » ; en quoi les sons se distinguent des éléments de la parole qui, dans les mots, les syllabes, les lettres même, peuvent être caractérisés comme longs, brefs, liquides, etc., alors que « *l'*ut *et le* ré *de la gamme n'ont point de propriétés différentielles* ». L'agrément de la musique dépend, pour chaque son « *intrinsèquement nul* », des sons qui le précèdent et ceux qui le suivent.

Comme on voit, la doctrine musicale de Chabanon est très en avance sur sa doctrine linguistique qui ne dépasse pas le niveau phonétique. Des idées linguistiques modernes prennent ainsi forme à partir de réflexions sur la musique, non sur la langue. En ce sens on peut dire que dans l'histoire des idées, une « sonologie » anticipe et préfigure la phonologie.

Le décalage n'est pas sans rapport avec celui qui résulte, dans la musique, de l'absence d'un niveau d'articulation correspondant au vocabulaire. Chabanon en a pleine conscience. S'il est vrai que la musique est une langue, « *cette langue a ses caractères élémentaires, les sons ; elle a ses phrases qui commencent, se suspendent et se terminent* » ; mais, entre les sons et les phrases, il n'y a rien. La nature aurait pu vouloir que la musique servît à nos besoins, comme le langage articulé : « *Pour que le chant eût exprimé et transmis des idées, il aurait fallu que la convention les y attachât : rien n'était plus facile.* » Un accord de deux sons à la tierce aurait signifié « du pain ». Mais la musique ignore le dictionnaire. D'où une conséquence : si la langue parlée peut exprimer la même idée en changeant l'ordre des mots ou avec des mots différents, cela est impossible en musique. « *Les tours et les mots ne sont que les signes conventionnels des choses : ces mots, ces tours, ayant des synonymes, des équivalents, se laissent remplacer par eux.* » En musique, au contraire, « *les sons ne sont pas l'expression de la chose, ils sont la chose même* ».

La modernité de Chabanon ressort aussi quand on compare ses idées à celles des deux grands théoriciens de son temps, Rousseau et Rameau. Contre Rousseau, il refuse de lier l'origine de la musique à celle du langage articulé. L'arbitraire du signe linguistique prouve que les langues ne dérivent pas de l'imitation des objets et des effets naturels ; elles ne sont pas primitives. Leur origine pose donc un problème, à la différence du chant qui leur est antérieur et ne dépend pas d'elles : « *La musique instrumentale a nécessairement devancé la vocale ; car lorsque la voix chante sans paroles, elle n'est plus qu'un instrument.* » Si l'on prétend lier les caractères du chant à ceux de la langue, on creuse un fossé entre le vocal et l'instrumental. Or il n'est pas de morceau instrumental vraiment beau qu'on ne puisse approprier à la voix en y joignant les paroles : « *Si c'est une symphonie à grand bruit, nous en ferons un chœur, ou on la dansera.* » Voilà anticipées la *Neuvième* de Beethoven et Isadora Duncan.

Au XVIIIᵉ siècle, il fallait beaucoup d'audace pour affirmer qu'on peut goûter un beau chant sans comprendre les paroles, et que même, hors de la scène, cela vaut mieux. La musique accompagnée de paroles a pour seul avantage d'aider à la faible intelligence des demi-connaisseurs et des ignorants : « *La Musique purement instrumentale laisse leur esprit en suspens, et dans l'inquiétude de la signification [...] Plus on a l'oreille exercée, sensible [...] plus on se passe aisément de paroles, même lorsque la voix chante.* » Et même à la scène, nonobstant la réserve ci-dessus : « *symphoniste d'opéra* », Rameau n'aurait pas besoin de paroles, car nul sujet n'inspire et n'amène les idées du musicien symphoniste : « *On ne sait d'où il les tire [...] le motif trouvé, il subit la nécessité de continuer [...] Cette idée première devient le générateur de plusieurs autres.* » Ce sont les mêmes réflexions que m'inspiraient, dans *Castor et Pollux*, la célèbre modulation et l'accompagnement de l'air de Télaïre (*supra*, p. 58).

Convaincu que la parole n'influe en rien sur la musique, Chabanon s'oppose à Rousseau qui déniait toute musicalité à la langue française et concluait à la supériorité de la musique italienne, servie par une langue harmonieuse. Il réfute la thèse chez Rousseau lui-même, et dans les développements qu'elle reçut d'un auteur dont il donne seulement le patronyme, Sherlock (en fait Martin Sherlock, dans ses *Nouvelles Lettres d'un voyageur anglais*, Londres et Paris, 1780, lettre XXVI, p. 162 ; on n'est pas sûr que l'ouvrage soit de lui). Chabanon ne tient pas seulement le français pour une langue musicale, grâce notamment à la molle fluidité de la prononciation, aux syllabes muettes dont les compositeurs de chant tirent un grand parti, et aux avantages d'une langue qui n'assigne pas à chaque syllabe une quantité bien appréciée. Il estime surtout que, vis-à-vis de la langue, la musique est souveraine : « *La musique, qui défigure les langues conformément à ses besoins, sait rendre musicale n'importe quelle langue.* »

Contre Batteux plus encore que contre Rousseau, Chabanon juge indéfendable l'idée qu'on puisse, sur un critère quelconque (en premier lieu le « génie de la langue », cher à Batteux), fonder une hiérarchie entre les langues. En cela aussi, Chabanon se montre étonnamment moderne : « *Chaque idiome établit entre ceux qui le parlent correctement et ceux qui l'entendent, une communication d'idées également prompte, claire et facile* [...] *Toute pensée juste appartient à tous les idiomes, tous ont les moyens clairs de l'énoncer.* » De même pour leur musicalité : « *Il n'est personne qui puisse* [...] *assigner à l'harmonie de la parole, des principes constants et universels. Chaque langue a les siens.* » D'où des « *irrégularités de goût, de jugement, que l'on n'explique, il me semble, qu'à l'aide de conventions établies pour un idiome et pour un autre : ces conventions forment autant de préjugés, ces préjugés influent sur nos sensations, et les modifient sans notre aveu. Le jugement prévenu fait illusion à nos sens* ».

Envers Rameau, Chabanon éprouve des sentiments mélangés. Ils semblent avoir été en bons termes, mais si Chabanon prononça l'éloge funèbre de Rameau, ce fut avec des réserves qui se retrouvent dans l'article « *Sur la musique de l'Opéra de* Castor » et dans ses livres. En fait, il se tient à distance de Rameau comme de Rousseau. De ce dernier, car Chabanon donne la priorité à la musique instrumentale sur la musique vocale. De Rameau, car il affirme la suprématie de la mélodie sur l'harmonie : des accords sans le chant sont peu pour l'oreille ; le chant sans accords peut encore la satisfaire. Même instrumentale, toute composition musicale que l'on goûte relève de la mélodie, on aurait donc tort d'opposer l'une à l'autre. Rousseau condamnait « *des beautés de convention, qui n'auraient presque d'autre mérite que la difficulté vaincue : au lieu d'une bonne musique, ils* [ses adversaires] *imagineraient une musique savante* [...] *fugues, imitations, doubles desseins* ». A quoi Chabanon, ralliant le camp de Rameau, réplique : « *Qu'entend-on communément par ces mots, qui sont dans la bouche de tout le monde :* Musique savante ? [...] *On condamne une Musique que l'on n'aime pas (ou qu'on ne veut pas aimer) et, comme pour consoler le Compositeur* [...], *on lui laisse le triste dédommagement d'un éloge qui ne signifie rien.* »

Grâce à Rameau, reconnaît Chabanon, la musique a fait un immense pas en avant, mais, après lui, cet art prendra un nouveau tour. Le « *ruisseau* » de la musique de Lulli se divise en deux bras ; l'un « *profond, vaste, étendu* », c'est Rameau (Rousseau souhaitait au contraire qu'on fît redescendre ou remonter la musique au point où Lulli l'avait mise) ; l'autre, « *grossi par des eaux étrangères, c'est la musique que nous aurons désormais* ». Jugement prophétique dix ans avant Gluck à Paris.

Mais ce que Chabanon admire chez Rameau n'a guère de rapport avec les ambitions affichées par celui-ci. Rameau fut grand surtout par son imagination mélodique : « *Ce qui constituait en lui l'homme de génie, c'est le caractère entièrement neuf de ses chants, c'est leur prodigieuse variété. Rameau fut créateur en mélodie. En harmonie, il n'eut, et ne put guère avoir d'autre motif éminent, que celui d'un profond théoricien.* »

Encore ne faut-il pas attacher trop d'importance à ce rôle. Les beautés harmoniques sont « *bornées, usées et rebattues* » ; elles se réduisent le plus souvent à « *des effets de musique vivement et universellement sentis* ». Surtout, l'harmonie ne connaît pas de lois fermes et définitives. Même Rameau qui l'a cru, et a prétendu les découvrir, ajoutait aussitôt que « *les exceptions sont presque aussi fréquentes que la règle* ».

Car, poursuit Chabanon, l'art ne procède jamais d'une réflexion théorique ; il la devance et lui fournit sa matière : « *Une heureuse hardiesse, tentée par l'artiste qui crée au hasard, devient une nouvelle clarté pour le* théoricien *qui raisonne.* » Cela, dans l'*Éloge de M. Rameau...* Et dans *De la Musique*, etc., Chabanon y insiste : le créateur n'a pas conscience des lois qu'il découvre ; aussi « *l'esprit philosophique, appliqué aux Beaux-Arts, ne peut jouer qu'un rôle secondaire* ». Les arts ont leur logique, mais « *cette logique diffère tant de celle d'un esprit calme et tranquille, que celle-ci ne peut servir à faire deviner l'autre* ».

Une fois l'harmonie déboulonnée du piédestal où Rameau l'avait mise, on comprend mieux les rapports qu'elle entretient avec la mélodie. L'une est fonction de l'autre : « *Tout chant implique une basse harmonieuse. Toute suite d'accords fonde mille chants harmonieux.* » Cette règle est sans exception, même chez les sauvages de l'Amérique et les Africains, dont le chant renferme en soi « *des parties harmoniques que ses inventeurs n'y ont pas soupçonnées* ». En quoi diffèrent alors la mélodie et l'harmonie ? On définira la mélodie comme une suite successive de sons qui n'admettent qu'un seul arrangement ; et on verra dans l'harmonie le dépôt et le répertoire des sons que la mélodie peut employer : « *C'est la mine dont la mélodie tire les sons, dont la main-d'œuvre lui est réservée.* » La distinction correspond à celle que les linguistes modernes font entre chaîne syntagmatique et ensemble paradigmatique. Quand Chabanon, se résumant, écrit : « Succession, *voilà la mélodie* ; simultanéité, *voilà l'harmonie* », il anticipe et formule exactement dans les mêmes termes la relation, fondamentale pour l'analyse du langage, que Saussure établira entre « *axe des successivités* » et « *axe des simultanéités* ».

XVI

Réfléchissant sur la musique, Chabanon lui découvre des propriétés identiques à celles que la linguistique structurale attribuera à la langue. Entre les deux domaines, pourtant, Chabanon ne perçoit pas l'analogie. Quand, dans son grand ouvrage, il passe de la musique aux langues, il annonce qu'il ne se renfermera pas uniquement dans ce qu'elles peuvent avoir de commun avec la musique. C'est le moins qu'on puisse dire, car il s'appliquera à souligner les différences, la principale étant que « *le chant n'admet que des intervalles appréciables à l'oreille et au calcul ; les intervalles de la parole ne peuvent ni s'apprécier, ni se calculer* ».

Il appartiendra à la linguistique structurale de surmonter cet obstacle en montrant que, d'un point de vue formel, une analogie existe entre le phonème, composé d'éléments différentiels, et l'accord musical. D'ailleurs, Chabanon semble confusément percevoir que la langue a elle aussi une structure : « *Si le goût, si le sentiment de l'analogie (qui n'est que celui de l'imitation) n'était pas une portion de notre instinct, les langues ne seraient toutes, qu'un amas indigeste de mots et de formules admis sans ordre, sans principes, sans relations : alors, pour posséder une langue, la mémoire la plus vaste suffirait à peine.* »

Elle y parvient parce qu'elle saisit, dans la structure de la langue, des relations invariantes ; idée à laquelle Diderot, cherchant à résoudre le problème de l'unité de temps en peinture, était, confusément lui aussi, parvenu (*supra*, p. 75).

Dans le chapitre III de la seconde partie de son livre intitulée *Considérations sur les langues* (où l'on peut voir, mais en opposition avec Rousseau, son propre *Essai sur l'origine des langues*), Chabanon se montre conséquent avec lui-même en rejetant l'idée que l'évolution des langues s'explique par des influences externes, et surtout par le climat. Celui-ci n'a changé ni en Grèce, ni à Rome dont « *le génie a transporté ses dons chez les Gaulois, les Pictes et les Germains que les Romains croyaient dévoués à la barbarie, par la nature même des lieux qu'ils habitaient* ». Loin que la souplesse de l'organe de la parole puisse être l'effet du climat, c'est l'organe le moins souple qui doit, pour s'épargner trop d'effort, rechercher l'articulation la plus molle et la plus facile, ainsi la conversion du *r* en *l*. Le climat favorisé dont jouissent les Marseillais n'empêche pas l'aspérité de leur grasseyement. Le russe est l'une des langues les plus douces d'Europe, en dépit d'un climat rude, etc.

Tout cela est une réfutation en règle de Rousseau et, plus généralement, du naturalisme, tare de la pensée philosophique au XVIIIᵉ siècle. Chabanon se faisait du langage articulé et des problèmes qu'il pose une idée beaucoup plus juste que ses contemporains, Rousseau en tête. Toutes les langues ayant les mêmes capacités, on ne saurait attribuer à chacune un génie particulier (ici, Chabanon pense à Batteux). Le caractère propre d'une langue tient aux circonstances historiques de son usage. Que des hommes d'esprit se mettent à écrire : « *C'est alors que la pensée s'évertue : les idées, mises en activité, se promènent sur tous les matériaux de la langue ; elles en remuent le dépôt tout entier pour y trouver des mots qui leur conviennent.* » Ou bien elles s'en associent d'autres en vertu d'une analogie plus éloignée, et elles leur donnent une acception nouvelle. L'esprit humain, améliorant ses œuvres, fait de la langue un emploi plus subtil. On n'en saurait conclure que la langue elle-même s'est améliorée. Nullement convaincu que Malherbe et Guez de Balzac aient découvert *« le véritable génie de notre langue »*, Chabanon éprouve de la nostalgie pour celle de Ronsard, d'Amyot et de Montaigne. Ce qu'on est en droit de critiquer chez Ronsard, ce sont ses théories artistiques, non sa langue. Il faut se garder d'imputer les torts et les mérites des ouvrages aux langues dans lesquelles ils furent écrits.

Mais si la recherche de l'harmonie dans la langue présuppose une démarche d'ordre intellectuel, c'est l'inverse en musique : on travaille d'abord pour l'oreille, l'imitation qui vise à contenter l'esprit vient après. Chabanon voit à cette opposition des racines très profondes.

A ses yeux, la langue offre deux aspects contradictoires. Tous les hommes sont doués de la parole, faculté naturelle et universelle, bien que les langues soient nécessairement de convention, tant en raison de leur diversité que de l'arbitraire du signe linguistique qui rend mutuellement inintelligibles des langues appartenant à des familles différentes.

En revanche, du fait qu'il n'y a pas de mots dans la musique résulte que, ne signifiant pas, elle relève tout entière de la sensation. La musique est une langue universelle dont les principes émanent de l'organisation humaine (et même animale, ajoute Chabanon, ses essais au violon l'ayant convaincu que les araignées et *« certains petits poissons qui vivent dans la vase »* y sont sensibles). Puisque la musique repose sur des rapports vrais et naturels entre les sons, il n'y a, il ne peut y avoir rien de conventionnel dans la musique. A de petites différences près, la mélodie doit avoir partout même fonds, même base. Preuve : on ne comprend pas toutes les langues, mais tout le monde est sensible à n'importe quelle musique ; un Européen à celles d'Asie, et même d'Afrique et d'Amérique.

En fait d'Amérique, Chabanon semble avoir eu surtout pour source un certain M. Marin, officier français qui, dit-il, avait beaucoup vécu parmi les sauvages et lui chantait ce qu'il se rappelait de leurs airs. Chabanon essayait au violon plusieurs manières de rendre ces airs, jusqu'à ce que Marin reconnût – ou crût reconnaître – ce qu'il avait entendu. C'est de la même façon que, il y a des années, Mme Betsy Jolas avait bien voulu exécuter au piano toutes les manières possibles de rendre mes notations naïves de la musique des Nambikwara et des Tupi-Kawahib. Je retenais celles qui éveillaient dans ma mémoire un écho plus précis (ces transcriptions devaient être publiées dans un ouvrage collectif ; l'éditeur du volume les perdit dans un taxi, je garde à sa mémoire une rancune tenace). Je mesure en tout cas la fragilité du procédé (encore ne chantais-je pas, comme Marin, ce que je croyais me rappeler ; j'avais noté sur place) ; mais Chabanon ne semble pas avoir douté de son informateur qui lui servait des chants indiens dénaturés par une oreille européenne, comme cela ressort de ses transcriptions. Plus perspicace, Rousseau disait des transcriptions de musiques exotiques citées par lui qu'elles peuvent « *faire admirer aux uns la bonté et l'universalité de nos règles, et peut-être rendre suspects à d'autres l'intelligence ou la fidélité de ceux qui nous ont transmis ces airs* ».

Mais Chabanon ne fait pas la distinction, parallèle pourtant à celle qu'il admet dans les langues, entre la Musique, langage naturel et universel – tous les peuples ont une musique –, et les musiques qui, à l'opposé de ce qu'il affirme, peuvent différer autant entre elles que les langues. Pour lui, les sons affectent agréablement la sensibilité comme les couleurs ou les odeurs. La comparaison ne tient pas, car s'il existe des couleurs et des odeurs dans la nature, il n'y a pas de sons musicaux : seulement des bruits. L'art des sons relève entièrement de la culture. (Conséquent avec lui-même, Chabanon voit au contraire dans la musique un langage si naturel à l'homme, « *qu'on pourrait, sous ce rapport, ne pas même l'appeler un Art* ».) Une propension à travestir des affirmations gratuites en données expérimentales est un vice de la pensée philosophique du XVIIIe siècle. Chabanon y cède en décrétant que les oiseaux ne chantent pas pour communiquer entre eux, mais seulement à la belle saison, pour exprimer leur plaisir.

J'ai discuté dans *Le Cru et le cuit* l'argument du chant des oiseaux. Pour ne pas sortir du XVIIIe siècle, j'invoquerai seulement ici l'opinion de Marmontel dans son article « Arts libéraux » de l'*Encyclopédie*. Que la musique, art de réunir et de composer les sons en un système de modulations et d'accords, offre une quelconque parenté avec le chant des oiseaux ou les accents de la voix humaine, lui semble une idée ridicule : « *Chacun des sens a ses plaisirs purement physiques, comme le goût et l'odorat ; l'oreille surtout a les siens ; et il semble qu'elle y soit d'autant plus sensible, qu'ils sont plus rares dans la nature. Pour mille sensations agréables qui nous viennent par le sens de la vue, il ne nous en vient peut-être pas une par le sens de l'ouïe [...] Tout dans l'univers semble fait pour les yeux, et presque rien pour les oreilles. Aussi de tous les arts, celui qui a le plus d'avantage à rivaliser avec la nature, c'est l'art des accords et du chant.* »

Marmontel semble ici réfuter mot pour mot les thèses de Chabanon. Son article parut en 1776 dans le tome I du *Supplément* à l'*Encyclopédie*. S'il le rédigea après 1772, il aurait pu connaître l'ouvrage de Chabanon dans sa première version. Je ne trouve pas mention du nom de Chabanon dans les *Mémoires* de Marmontel. En revanche, celui de Morellet y revient souvent car ils étaient amis de longue date (Marmontel, sur le tard, épousa la très jeune nièce de Morellet ; lui et sa belle-famille vécurent sous le même toit). On serait donc tenté de reconnaître dans cet article l'écho des différences d'opinion, de très vives disputes même, que Marmontel évoque dans ses *Mémoires*, et qui, malgré une estime et une affection réciproques, l'opposaient souvent à Morellet.

XVII

Chabanon était un esprit trop avisé pour ne pas sentir les faiblesses d'une conception purement naturaliste de la musique. Son *Éloge de M. Rameau* la tempère : la Musique, langue du monde entier, se différencie en dialectes. Jusqu'où peuvent aller ces différences ? Dans son grand ouvrage, il s'interroge sur de possibles corrélations entre la musique et ce que nous appellerions aujourd'hui le caractère national : « *S'assurer que chaque Nation reçut en don de la Nature un caractère de chant qui lui est propre [...] ce serait ajouter un Chapitre, ou du moins un paragraphe à l'histoire de l'homme. Que serait-ce donc, si, complétant cette découverte, on pouvait, par des rapports apparents, assortir chaque caractère de chant aux mœurs, au caractère de chaque Nation, à son langage, à la manière qui lui est propre dans tous les Arts ?* » C'est aller d'un extrême à l'autre. Chabanon oscille entre les deux, comme le montre un autre passage. Si le Nègre, le Chinois, qui se font une idée de la beauté physique différente de la nôtre, transportés en Europe, se rangent à notre avis, « *cet hommage exotique rendu à la beauté prouvera qu'elle est universelle* [sauf si] *les Nègres et les Chinois* [n'] *ont* [pas] *fait autre chose que changer de préjugés* ». Le relativisme culturel montre le bout de l'oreille dès que le doute s'installe sur l'existence de valeurs universelles. Non content d'étendre ce relativisme à la musique (au moins sous forme d'hypothèse), Chabanon va jusqu'à concevoir qu'un rapport d'analogie pourrait exister chez chaque peuple entre sa musique, sa peinture, sa poésie, son langage. Mais aussitôt les objections se pressent dans son esprit.

Dans chaque société en effet, les arts n'évoluent pas au même rythme. Au siècle de Louis XIV, la poésie, la peinture et l'éloquence brillaient d'un vif éclat, et la musique sortait à peine de l'obscurité. Retard d'autant plus remarquable que « *la Musique, qui ne se perfectionne qu'après les autres Arts, les devance tous dans son origine* ». Seule une enquête ethnographique permettrait de lever le doute, et celui qui mènerait à bien cette tâche difficile offrirait aux yeux du philosophe un tableau neuf et intéressant ; mais il lui faudrait avoir fait le voyage musical du monde. Les Nègres de la Côte de l'Or ont des chants tristes et traînants ; ceux d'Angola, vifs et légers ; les sauvages d'Amérique, calmes et tranquilles. Les danses espagnoles sont graves et majestueuses, la danse polonaise a un rythme plus marqué et tourne plus à la fierté. La danse anglaise se caractérise par un mouvement rapide, l'allemande est fougueuse et emportée ; les danses françaises sont gaies, gracieuses, dignes. Mais pas de danses en Italie (*sic*).

Or les voyageurs affirment que les Nègres de la Côte de l'Or et de l'Angola diffèrent aussi par le tempérament et les mœurs : « *Que ne peut-on multiplier de tels exemples ?* [Avec la musique] *la Nature aurait alors donné aux hommes une langue qui trahirait le secret de leur caractère.* » On connaît pourtant des cas où la musique et les conduites sont en désaccord : ainsi les chants gracieux et tranquilles qui accompagnent les festins anthropophages des Indiens américains. L'analogie entre la musique et les mœurs se vérifie pour l'Espagne, pas pour l'Angleterre... Jusqu'à quel point y croire ? L'analogie existe-t-elle peut-être entre certains traits superficiels, et pas entre les traits profonds ?

De toute façon, elle ne pourrait exister en Europe où les beaux-arts, le goût, l'esprit et les lumières circulent parmi les peuples. D'un bout à l'autre du continent ont flué et reflué les découvertes, les principes, les méthodes. Ce libre commerce des Arts leur a fait perdre leur caractère (Chabanon souligne) *indigène*. Cela est vrai surtout pour la musique, quelques différences d'exécution mises à part. Pour pouvoir affirmer que celles-ci tiennent au caractère national, il faudrait en retrouver d'analogues dans les autres arts de chaque nation.

Ces considérations replacent au premier plan la distinction, fondamentale pour Chabanon, entre la musique et le langage articulé, mais elles ouvrent des perspectives très différentes de celles que son auteur faisait entrevoir au début. L'éloquence, la poésie, le théâtre, dit-il, ont un rapport immédiat et nécessaire avec les mœurs, le caractère, les usages, le régime politique de chaque nation. Du fait que ces arts sont « *enfants de l'esprit et font mouvoir la parole* », ils dépendent étroitement des circonstances historiques et locales. La musique, qui ne peint ni les hommes, ni les choses, n'est pas dans la même dépendance : on entend la même musique à Rome, Londres, Madrid. Mais alors, comment expliquer des contradictions internes ? Les Allemands, « *mélodistes âpres et hérissés, sont des Poètes si doux, si riants et si sensibles* [...] *L'Italien qui chantait il y a quatre-vingts ans comme le Français avait-il les mœurs de notre Nation ?* »

L'universalité de la musique, proclamée au début de l'ouvrage, trouvait son fondement dans une sensibilité commune à tous les hommes et même aux animaux. Ramenée à l'échelle européenne, elle tient plutôt à un ensemble de conditions historiques, culturelles et sociales. Et même là, on ne peut affirmer que le goût musical, décroché de la sensation, révèle une harmonie entre les esprits puisque, dans un même peuple, il arrive que les arts et le tempérament national se heurtent : « *Je crains,* avoue Chabanon, *que la philosophie la plus éclairée n'ait peine à éclaircir de tels mystères.* »

Cela étant, on peut bien conclure, d'une part que « *le caractère du chant le plus familier à une Nation n'est pas un indice certain de son caractère et de son génie* » ; d'autre part qu'« *entre les arts de la parole, dont l'esprit est le premier juge, et l'art des sons qui ressortit au tribunal de l'oreille, existe une telle différence qu'un peuple stupide pourrait être bon musicien, et un peuple aux pensées profondes, n'avoir qu'une musique légère* » ; cet écart entre musique et parole n'est pas si infranchissable qu'on pourrait croire, puisque le récitatif se place entre les deux.

Le problème du récitatif a hanté Chabanon, et un esprit aussi profond que le sien ne pouvait manquer d'apercevoir ses implications philosophiques. « *Espèce de monstre amphibie, moitié chant, moitié déclamation* », le récitatif est le vice de l'opéra, surtout français. Le principal tort de Rameau fut de n'avoir pas su lever cet obstacle. La question ne se pose pas au concert, où tout est musique, mais le théâtre l'emporte par l'intérêt des situations. Comment la musique parvient-elle à les rendre ? On ne sait pas. En cette matière la théorie est incertaine, et les conseils presque impossibles à donner.

On constate seulement comme un fait d'expérience « *la convenance secrète des inflexions de la parole avec les sentiments qui les déterminent* ». On n'explique pas cette convenance, elle constitue « *un mystère de métaphysique impénétrable* ». Chez les différents peuples, les intonations ne sont pas les mêmes, et elles se contrarient parfois d'un peuple à l'autre. D'où ces deux constatations qui s'opposent : « *Les principes de l'intona-tion* [...] *ne sont pas d'institution purement naturelle. On ne saurait dire non plus qu'ils sont de convention. La cause en est aussi inconnue que celle des divers accents dans les divers pays.* »

L'opéra croit se tirer d'embarras grâce au récitatif, « *chant détérioré* [...] *en lui ôtant sa précision rythmique* [...] *pas vers la simple parole* ». Pourtant un récitatif, même bien fait, dont on ignorerait les paroles ne les ferait jamais deviner : « *Les tournures du récitatif semblent infiniment bornées ; on répète souvent les mêmes.* » Il faut se référer aux paroles. Entre la musique et celles-ci, des liens se tissent : « *Le sens des mots jette un autre reflet sur les sons.* »

Le fossé entre musique et langage n'est donc pas aussi profond qu'on l'avait dit : il y a de la convention dans la musique, comme il y a de la nature dans la parole. D'où, à l'opéra, la nécessité d'une collaboration intime entre le musicien et le poète. Chacun ne parle et n'entend que sa propre langue, mais doit savoir rendre son art subsidiaire à celui de l'autre. Bizarre association : « *Un Opéra veut être enfanté deux fois.* »

Dans ses *Réflexions préliminaires* qui ouvrent *De la Musique*, Chabanon annonce qu'il considérera l'art musical « *dans son squelette anatomisé* ». Il se propose, dit-il, de retrouver une nature simple, une idée primitive derrière les idées accessoires. Et c'est seulement après avoir trouvé dans la mélodie l'idée la plus simple qu'on puisse concevoir de la musique, qu'il s'emploiera à compléter cette idée pour reconstituer l'art dans son entier.

Il en arrive ainsi à voir dans la musique une langue

commune à tous les hommes et à tous les temps. Cela est sans doute vrai du squelette : le langage musical possède une structure spécifique qui, sous un aspect, le rapproche du langage articulé (comme les phonèmes, les sons n'ont pas de signification intrinsèque), et sous un autre aspect l'en éloigne (le langage musical n'a pas de niveau d'articulation correspondant au mot). Jusque-là, la démonstration de Chabanon conserve toute sa force.

Mais, de cette universalité de structure, il ne s'ensuit pas qu'à de petites différences près le langage musical ait toujours et partout le même contenu. En approfondissant ses analyses, Chabanon se voit contraint de faire marche arrière. Une théorie englobant au début toutes les musiques se rétrécit peu à peu au problème de la musique occidentale qui, à partir du XVIIIe siècle, se détache des autres pour former un univers séparé. Chabanon accorde une attention croissante à ce phénomène, il reconnaît qu'il a une histoire propre : « *Les premiers pas qu'elle* [la musique française] *fit pour s'éloigner des chants simples et populaires (ainsi ceux des vieux Noëls) l'avaient détournée de sa route véritable.* » On continue de savoir en quoi la musique et la parole se distinguent sur le plan formel, mais l'idée qu'à l'opposé des langues les musiques des différents peuples auraient de par le monde un contenu identique rentre dans un néant dont Chabanon n'aurait jamais dû la sortir.

XVIII

Je lisais la seconde partie de l'ouvrage de Chabanon, *De la Musique*, consacrée pour l'essentiel à l'opéra, quand parut *Operratiques* de Michel Leiris, recueil posthume de fragments qu'il voulait rassembler sous ce titre. A côté d'observations sur le théâtre chinois, les séances du Vaudou, le Karagheuz grec, où l'on reconnaît l'ethnologue, ces notes abondent en réflexions pénétrantes. Ainsi sur le vérisme, « *naturalisme qui ne retient de la réalité que certains éléments paroxystiques* » ; l'expressionnisme de Monteverdi ; le lyrisme de Puccini ; le wagnérisme de *Pelléas* (reprenant, semble-t-il, des propos que j'ai souvent entendu tenir à René Leibowitz, qui fut notre ami à tous deux) ; un commentaire sur *Parsifal* : « *Si la représentation théâtrale est un rite* [comme la concevait Wagner] *mettre sur scène un simulacre de rite est justement une chose à ne pas faire* » ; une critique de Menotti.

A côté de tout cela, des jugements déconcertants par leur simplisme. Leiris porte au crédit de *Tosca* les thèmes d'oppression et de torture parce qu'ils sont redevenus actuels. Dans *Die Meistersinger*, il blâme « *un chauvinisme déplaisant* » sous prétexte que Hans Sachs y défend l'esprit de la musique allemande contre les influences étrangères (mais Wagner fait parler un ardent réformé pour qui l'adjectif *wälsch* désigne l'ensemble des peuples romans et catholiques ; et on sait ce que la musique devra à Luther, ce qu'elle devra plus tard à Wagner : il était certes en droit de transposer).

D'autres jugements de Leiris franchement choquent. Lui qui comprend si bien Puccini ne craint pas de faire de Leoncavallo son égal. Et pour quelles raisons ? Leoncavallo se serait montré génial, « *en faisant converger dans une même œuvre ces deux thèmes – les larmes sous le rire et la vérité sous le théâtre* ». Les mots génie, génial reviennent trois fois en deux pages où Leiris ne parle que du livret. Sur la musique, pas un mot.

C'est un grand sujet d'étonnement que, dans ces textes qui tiennent constamment sous le charme, quelque cinquante opéras fassent l'objet de commentaires pleins de poésie et de finesse sans que jamais ou presque il y soit question de musique.

Dans son *Journal* publié quelques mois après *Operratiques*, Leiris relate ses impressions lors d'une représentation de *Parsifal* à laquelle il a assisté en 1954. On y retrouve le commentaire cité plus haut, auquel, sur deux pages, Leiris ajoute d'autres griefs. Pas plus que lui je ne goûte les relents de bondieuserie qu'on respire çà et là dans *Parsifal*. Mais le travestissement dans un sens chrétien du cycle du Graal ne date pas d'hier : il remonte au début du XIIIe siècle et à Robert de Boron. Pour l'ethnologue qui se doit d'avoir quelques notions d'histoire des religions, cette tradition est éminemment respectable. Plutôt que de s'en irriter, il convient de la comprendre et de situer la version novatrice due à Wagner parmi toutes celles qui se sont succédé depuis Chrétien de Troyes. Surtout, à lire ces pages de Leiris, il n'apparaît pas qu'au cours de cette représentation il ait ressenti une émotion musicale. Pour ma part, quand je suis envahi par la musique de *Parsifal*, je cesse de me poser des questions.

Leiris, lui, réserve son intérêt aux mérites vocaux et au jeu des chanteurs, à la mise en scène, aux décors et surtout à l'action dramatique. Aucun écrivain sur l'opéra n'a sans doute prêté autant d'importance à l'anecdote (il y a du Diderot chez Leiris). Quelle que soit l'histoire racontée, si l'on me passe l'expression, « il marche ».

Il marche, et je le suis mal. Quelques livrets mis à part – celui de *Carmen* ; ceux de la Tétralogie pour des raisons développées ailleurs et, plus encore, celui des *Meistersinger*, ce chef-d'œuvre sur la naissance du chef-d'œuvre (devant quoi Leiris avoue qu'il « *fait le dégoûté* ») ; celui de *Pelléas* (autre opéra qui inspire à Leiris une certaine réticence) que, contrairement à l'opinion courante, je ne trouve pas indigne de la musique –, la plupart des livrets m'indiffèrent, et il y a peu d'opéras où j'éprouve le besoin de comprendre les paroles : j'ai su l'histoire et l'ai aussitôt oubliée. Quand j'écoute une nouvelle fois *Lucia di Lammermoor* à la radio, me rappeler l'intrigue n'ajouterait rien, je crois, au frisson provoqué par le fortissimo du sextuor, l'émotion ressentie en entendant l'air de la folie bien chanté.

Qu'est-ce donc pour moi qu'un opéra ? Une grande aventure. J'embarque sur un navire dont, en guise de mâts, de voiles, de cordages, le gréement rassemble tous les moyens instrumentaux et vocaux requis par le compositeur pour mener à son terme un voyage resserrant en trois ou quatre heures une vaste musique, aussi variée que le spectacle du monde et pourtant une (Chabanon ne soulignait-il pas que l'opéra « *peut admettre dans le même ouvrage plusieurs styles et plusieurs manières* [...] *appartenir à différents âges de la musique* » ?) ; et qui me transporte dans un monde de sons à mille lieues de choses terrestres, comme on l'est en plein océan.

Aussi je ne vais plus à l'opéra, pressentant que le vaisseau sombrera sous le poids intolérable d'une mise en scène et de décors qui insultent à la fois le poème et la musique. Le seul problème que devrait se poser le metteur en scène (mais pour cela le chef d'orchestre suffit, car lui au moins connaît et respecte l'œuvre) est de savoir ce que le compositeur voyait dans sa tête, et de le reconstituer de son mieux, armé des moyens techniques dont on dispose aujourd'hui (mais pas des projections cinématographiques mêlées au décor ! L'opéra est une stylisation du réel). En 1876, Wagner se disait mécontent de la mise en scène de la Tétralogie, parce qu'on n'était pas en mesure de montrer ce qu'il imaginait (dans mon enfance, j'ai encore vu la *Chevauchée* figurée par les Walkyries roulant sur des plans inclinés dans des petits chars de goût romain ; cela faisait beaucoup de bruit). A l'inverse de ce qu'on croit et de ce qu'on se permet, Wagner avait une vision très précise de la scénographie et il entendait qu'on s'y conformât. Il écrivait au metteur en scène de *Lohengrin* : « *Tu as différé quelque peu de moi dans les décors, comme par exemple le cours du fleuve au premier acte [...] J'aurais bien aimé, dans la cour du château, le balcon et les escaliers conduisant de la* Kemenate *au* Palas *plus en vue [...] en reculant la tour du* Palas *quelque peu vers la droite.* » Et sur une production de *Tannhäuser* à laquelle il n'a pas assisté : « *On m'a dit que la* Sängerhalle *était très réussie à Berlin : toutefois je ne crois pas qu'elle ait été conforme à mes intentions scéniques (car je ne puis consentir à l'abandon de l'arcade à ciel ouvert avec l'escalier et la cour).* »

Faire bon marché de telles instructions me paraît aussi grave que si l'on se permettait de malmener le texte ou la musique. J'irais jusqu'à souhaiter qu'au théâtre, aussi, les œuvres anciennes fussent toujours représentées comme leurs auteurs les ont conçues, voulues et entendues. « *On sait* », écrit au XVIIIe siècle un auteur lui-même comédien, Hanne-taire, « *avec quel succès Mlle Champmêlé jouoit, entre autres rôles, celui de Phédre que Racine lui avoit montré Vers par Vers, et dont la récitation auroit pu, dit-on, s'écrire et se transmettre, si l'on avoit eu des caractères pour cela.* » Livrées au bon plaisir des acteurs et des régisseurs, la déclamation et la décoration classiques se sont malheureusement perdues. Si le style et l'éclat des costumes, les règles de diction, avaient été codifiées par un théoricien comme Zeami, nous nous émerveillerions moins devant le nô aujourd'hui.

Des metteurs en scène sans culture ou nourris d'idées fausses font se traîner les dieux et les héros wagnériens à ras de terre, ils les mobilisent au service des idéologies du moment. C'est un grossier contresens. Wagner a commencé par écrire des opéras historiques. Il n'a pas continué, ayant acquis la conviction que seul le mythe est vrai à toute époque : la vérité de l'histoire est dans le mythe, et non l'inverse.

Nonobstant l'admiration que je porte au prosateur et au poète, plus que de Leiris, si complaisant envers ces abus, je me sens proche de Chabanon qui avait sur l'opéra des notions plus saines. N'est-ce pas lui, d'ailleurs, qui louait en Rameau le symphoniste dont, même à l'opéra, les idées n'auraient pas eu besoin des paroles pour s'exprimer ?

Aux yeux de Chabanon, l'opéra pose un double problème. Le genre, absurde en droit, est un succès de fait. Et si l'opéra a marqué des progrès (au point, dit-il, que les ouvrages de son siècle ne permettent plus de revoir ceux d'avant), ce n'est pas grâce au poème, comme l'espérait La Bruyère : le grand spectacle, seulement ébauché, n'est pas né ; la musique seule s'est perfectionnée.

Sur le premier point, Chabanon fait valoir que l'emploi de la musique n'a rien d'incompatible avec la tragédie qui, au moyen du discours et de l'action, cherche à inspirer terreur et pitié. On agit, on parle en chantant : les femmes quand elles filent ou cousent, l'artisan pendant qu'il travaille, etc. Présente dans la vie quotidienne, la musique l'est aussi aux funérailles et à la guerre, tragédies terribles. Mais « *l'absurdité monstrueuse* », en apparence, de l'opéra vient de ce que les personnes qui chantent sont celles précisément qui tuent et meurent ou qui sont affligées.

Il n'y a pourtant là qu'un degré supérieur d'invraisemblance, et il en existe toujours au théâtre, « *enceinte magique où le temps et l'étendue se resserrent* » : paroles mêmes que Wagner mettra dans la bouche de Gurnemanz pour donner une signification transcendante à la scène de la transformation. Or « *toute invraisemblance qui produit un grand effet porte avec elle [...] son titre de légitimité et de prééminence [...] La Musique est un prodige de plus, qui donne de la vraisemblance à tous les autres* ». Elle accroît la majesté du spectacle, supplée au silence d'un personnage qui médite, suscite par des moyens orchestraux la conscience d'une passion violente (le chant principal est alors dans la symphonie) ; elle remplace « *l'oisive interlocution des confidents* » par un chœur, « *interprète à des passions qu'une multitude agissante transmet à la multitude qui écoute* ».

Quant au second problème – la musique seule s'est perfectionnée, non les vers –, il s'explique du fait que l'opéra, pour son progrès, exigeait que le poème et la musique évoluassent en sens inverse l'un de l'autre. Ce fut le mérite du librettiste de Lulli : Quinault innova en mettant « *la Tragédie en apprentissage sous la musique* ». Il évita les complications, chercha « *le merveilleux dans les sujets et la simplicité dans la manière de les traiter* ».

Leiris dira de même que le théâtre lyrique sauve tout par « *un surcroît de convention* » ; et il approuve Hoffmann de demander au librettiste d'opéra que, « *presque sans comprendre un mot du texte, le spectateur puisse, d'après ce qu'il voit se passer, se faire une idée de l'intrigue* » (mais Leiris dit plus loin qu'il n'aurait pas écouté les chœurs de *Mahagonny* avec tant d'émotion s'il n'avait pas compris les paroles). Détail amusant ; Leiris fait aux poèmes de Wagner, « *très longs et compliqués* », le même reproche que Chabanon aux livrets de Voltaire : la Musique eût exigé des retranchements, car « *dans le genre lyrique, tout ramène à la simplicité* ».

« *Partout où la Tragédie lyrique s'est établie, elle a d'abord adopté les sujets simples et mythologiques* [...] *Cet univers poétique, créé par l'imagination des Anciens, plein de fictions, et tout brillant d'heureuses chimères, était comme une région préparée pour les enchantements de la Musique.* » J'ose verser ce propos de Chabanon, que je ne connaissais pas, à l'appui de la thèse, avancée dans le Finale de *L'Homme nu*, que la musique des XVIIᵉ et XVIIIᵉ siècles reprend à son compte les structures de la pensée mythique.

Il existe certes des opéras à sujet historique, sur lesquels Leiris s'interroge : « *L'opéra historique* [...] *répond-il à l'époque où la bourgeoisie s'apprêtait à faire, était en train de faire, ou bien venait de faire* [...] *sa révolution contre les tyrans ?* » Chabanon règle la question de façon plus expéditive. Écrite sur des poèmes de Métastase, qui remplace la Fable par l'Histoire, la musique devient simplement ennuyeuse, d'où « *l'usage de ne pas écouter les Opéras en Italie* ».

Chabanon craint toutefois de choquer ses contemporains

en paraissant restreindre l'opéra au merveilleux. Il eût pu s'appuyer sur Batteux écrivant en 1746 que, dans le spectacle lyrique, « *les Dieux agissant en dieux, avec tout l'appareil d'une puissance surnaturelle, ce qui ne serait pas merveilleux cesserait en quelque sorte d'être vraisemblable* [...] *Un Opéra est donc la représentation d'une idée merveilleuse* ». (Déjà La Bruyère reprochait à Lulli d'avoir fait disparaître les machines. Chabanon lui fait le reproche symétrique d'avoir mêlé à l'opéra des madrigaux et fades chansonnettes.) Les prodiges parlent aux yeux, comme les passions de l'âme. L'opéra les réunit par un troisième enchantement : celui de la musique. Forme de théâtre, dira Leiris, où « *spectacle, musique et drame pur concourent à l'émotion du spectateur* [...] *exactement investi* ».

L'évolution qui conduisit à l'opéra est donc dans la logique des choses : « *Chez les Français, Corneille et Racine avaient porté la tragédie, pour ainsi dire, à son dernier période, quand la Musique entreprit d'y allier les sons modulés* [...] *Le siècle qui admirait* Phèdre *et les* Horaces *ne réclama point contre cette innovation ; il crut pouvoir aussi se passionner pour* Armide. » J'aperçois quelque analogie entre la conception que Chabanon se fait du passage de la tragédie déclamée à la tragédie chantée, et la façon dont, entre le mythe et la musique, j'ai moi-même tenté d'établir une continuité ; et cela, presque dans les mêmes termes : « *C'est*, dit-il, *lorsque la Tragédie, perfectionnée, et comme épuisée dans toutes ses combinaisons, n'a plus qu'à déchoir, que la Musique s'efforce de la reproduire sous une forme nouvelle.* » Sur une échelle réduite, l'histoire littéraire de la France illustrerait ainsi un phénomène qui m'était apparu typique de la civilisation occidentale dans son ensemble. Mais pourquoi Chabanon ajoute-t-il : « *Cette entreprise est au moins une consolation dans notre décadence* » ?

Il se défie au plus haut point de la mode, des « manières », et met en garde contre le vertige du modernisme : « *Quand notre dédaigneux oubli anéantit l'existence de productions musicales qui ont vingt ans de date, vous marquez le terme prochain où vos productions doivent s'anéantir. Qu'est-ce donc que ces mortalités promptes et successives, au moyen desquelles l'art, détruit par parties, périt enfin tout entier ?* » Si l'on taxe d'arbitraire le jugement musical, et qu'on en vient à croire l'idée du beau factice et conventionnelle, c'est à cause des révolutions rapides que la musique connaît tous les vingt ou trente ans : « *N'appauvrissons pas, n'exténuons pas l'Art, en le réduisant à ses productions les plus modernes.* » Chabanon est surtout sensible à la grandeur des commencements : « *Les beautés simples, trouvées par ceux qui ont défriché l'Art, sont d'autant plus vraies, qu'elles ont été communément trouvées sans effort ; elles ont une sorte d'évidence naturelle.* »

Au sujet de la musique traînante des matelots et des paysans, Chabanon observe au début de son livre : « *C'est avec gaîté qu'ils chantent tristement.* » A l'Opéra-Comique aussi, la musique semble incapable de s'adapter à la drôlerie des situations. Elle reste toujours la même : sérieuse, même dans des ouvrages réputés comiques ou bouffons. Mise au service de la comédie, la musique devrait provoquer le rire, peindre le ridicule. Elle ne le peut parce que – remarque profonde – le rire naît d'une surprise qu'on occasionne à l'esprit, avec lequel la musique n'a qu'une relation indirecte. Aussi le chant le plus gai ne déclenche-t-il pas le rire, tandis qu'un chant pathétique fait couler des pleurs. Pourrait-on surmonter cet obstacle ? Chabanon y rêve dans une note inspirée qu'il convient de citer presque en entier :

« *Le musicien qui inventerait le nouvel art dont je parle* [...] *instruirait les acteurs à débiter et jouer le récitatif, autrement*

122

qu'on ne le fait communément. Mais les traits de symphonie dont il accompagnerait son récitatif, ainsi que les airs qu'il y mêlerait, auraient un caractère de plaisanterie, qui décèlerait une intention particulière du compositeur. Ce n'est qu'à l'aide d'un génie entièrement neuf, et d'un sentiment juste des convenances, que l'on peut tenter la création que j'imagine. L'Artiste qui s'en occuperait, aurait à former le Poète qu'il s'associerait, les Acteurs qui l'exécuteraient, et peut-être le Public qui l'entendrait. Mais cette dernière éducation ne serait pas difficile. »

N'est-ce pas exactement ce programme que Mozart mettait, ou allait mettre à exécution dans *L'Enlèvement au sérail, Cosi* (Despina), *La Flûte* ? Plus tard Rossini, puis Offenbach, avant que Ravel, dans *L'Heure espagnole*, ne porte le genre à son plus haut point de perfection ?

Je n'ajouterai pas *L'Enfant et les sortilèges* à la liste, ne pouvant me consoler, chaque fois que je l'entends, que Ravel se soit laissé piéger par un livret d'une bassesse intellectuelle et morale insoutenable (et dont, dans ce cas particulier, l'auditeur ne peut faire abstraction tant il bride la musique et la découpe en vignettes descriptives) ; livret où l'auteur met odieusement en scène sa propre apothéose de mère castratrice (« *Songez, songez surtout au chagrin de maman* »), avec l'enfant, qu'elle appelle Bébé bien qu'il soit d'âge scolaire, et tout une troupe d'animaux bêtifiants à ses pieds.

Dans les préludes des deux tableaux, le rag-time, la scène de la princesse et l'admirable chœur final, le génie de Ravel surnage. Mais çà et là, que de poncifs ; et devant le trio des meubles, l'entrée de l'Arithmétique, le duo des chats, la scène de la blessure, on regrette que le compositeur se soit montré si docile aux injonctions de sa librettiste.

Des sons et des couleurs

XIX

Le père Louis-Bertrand Castel (1688-1757) fut célèbre au XVIIIᵉ siècle pour son invention du clavecin oculaire, ou chromatique, qu'il ne parvint d'ailleurs pas à construire. Rousseau, Diderot, Voltaire se gaussèrent de l'idée que le jeu des couleurs pût affecter agréablement la vue, comme la musique l'ouïe. En revanche, un compositeur aussi important que Telemann la prit au sérieux.

Car, contrairement aux dires de ses critiques, Castel avait très bien compris que les couleurs et les sons diffèrent en nature : « *Le propre du son est de passer, de fuir, d'être immuablement attaché au temps, et dépendant du mouvement* [...] *La couleur assujettie au lieu, est fixe et permanente comme lui. Elle brille dans le repos* [...]. » D'autre part, si « *le ton est à la couleur, comme le grave-aigu est au clair-obscur* », celui-ci existe indépendamment de la couleur (on peut représenter une scène en noir et blanc), tandis « *que les deux différences sont réunies dans le son, n'étant pas possible de faire des sons graves et aigus qui ne soient pas des tons* ». Castel anticipait ainsi la découverte par les neurologues qu'en remontant de la rétine au cortex, les stimulations optiques empruntent trois canaux ; or le canal de la luminosité existe séparément des

127

deux canaux chromatiques (l'un pour le rouge et le vert, l'autre pour le jaune et le bleu). Castel était donc fondé à dire en son temps : « *Toute cette matière des couleurs est plus neuve qu'on ne pense.* » Lui-même, ajoute-t-il, n'aura apporté « *qu'une très petite parcelle des découvertes immenses, que j'y entrevois en réserve pour les siècles à venir, quoi qu'en disent les partisans trop dociles de l'incomparable M. Newton* ». Contre Newton, qui « *s'est imaginé que toutes les couleurs prismatiques étaient primitives* », Castel eût en effet trouvé un réconfort auprès des neurologues : ils nous ont appris pourquoi les humains ne perçoivent comme des couleurs pures, mis à part le blanc et le noir, que le rouge, le vert, le jaune et le bleu.

Mais Castel ne raisonne pas sur les couleurs en neurobiologiste ni en physicien. Il pose – c'est sa grande originalité – le problème en termes ethnologiques et l'aborde sous l'angle de ce que nous appelons aujourd'hui la culture matérielle. Les couleurs dont il traite sont « *substantielles, usuelles et maniables* ». Son Optique, dit-il, « *doit être la théorie de la pratique des Peintres et des Teinturiers* ». Il sait aussi que l'appréciation des couleurs varie selon les cultures. En France, nous aimons que le jaune soit doré, « *laissant aux Anglais le jaune pur, qui est fade pour nous* ». On croirait volontiers que Castel a mis le doigt sur un invariant quand on lit, dans un article du *Figaro* à la date du 10 juin 1992, compte rendu de la visite de la reine Elizabeth II en France, que la souveraine était « *habillée d'un jaune très citronné qui intrigua plus d'un spécialiste* ».

Sa connaissance approfondie des techniques conduit Castel à une théorie surprenante : « *Le noir est une abondance de couleurs* [...] *Il y a de grandes raisons pour dériver les couleurs du noir.* » Quelles raisons ? Si le blanc résulte du mélange de toutes les couleurs, le noir les contient en puissance, il est en quelque sorte leur générateur. A preuve la matière, qui « *est de soi ténébreuse et inanimée* ». Chauffé, le fer noir prend successivement toutes les couleurs jusqu'au blanc. Pour obtenir le noir, les teinturiers trempent successivement le tissu dans des bains de trois couleurs primitives. Enfin, si le noir est une teinture, le blanc ne l'est pas : il se définit comme la privation d'une richesse que le noir contient en soi : « *Tout vient du noir pour se perdre dans le blanc.* »

Extravagances, certes, et non exemptes de contradictions. Diderot ne qualifiait-il pas Castel de « *brame noir, moitié sensé, moitié fou* » ? Celui-ci n'en avait pas moins une perception aiguisée des couleurs, une sensibilité aux différences que la matière, le grain, le chiné apportent aux coloris. Se fondant sur ses dons naturels et sur son savoir pratique, Castel a formulé une logique des qualités sensibles où les notions de rapport et d'opposition ressortent au premier plan.

Il n'y a pas plus d'égalité ni même d'identité ou, dit Castel, de mêmeté entre les sons et les couleurs, que la géométrie n'en admet entre l'infini et le fini, la surface et la ligne. Mais entre infinis, mêmes propriétés qu'entre finis ; entre surfaces, entre corps, mêmes propriétés qu'entre lignes. Dans des ordres différents, les propriétés des sons et des couleurs sont elles aussi analogues : « *Tout est relatif* [...] *un beau rapport rend la beauté réciproque aux deux termes de la comparaison* [...] *C'est l'opposition qui fait ressortir les choses.* » Castel (qui était mathématicien) applique aux beaux-arts la théorie de la quatrième proportionnelle dans des termes que, si l'idée n'était si ancienne, l'*Entretien entre d'Alembert et Diderot* paraîtrait lui avoir empruntés.

En renversant de façon si radicale les idées admises sur le noir, Castel créait un précédent. Sa théorie, inspirée par une sensibilité très vive aux couleurs, anticipe un autre renversement de la valeur du noir, je veux dire celui que Rimbaud accomplira dans le sonnet *Voyelles* (reproduit p. 137 pour la commodité du lecteur).

A propos de l'audition colorée (cas particulier de ces correspondances entre les sens qu'on désigne du nom de synesthésie), Jakobson a fait cette remarque : « *La connexion manifeste entre une couleur supérieurement chromatique comme l'écarlate, la sonorité supérieurement chromatique de la trompette, et les sommets de la chromaticité vocalique (/a/) et consonantique (/k/) dans le nom de couleur : écarlate, est vraiment spectaculaire.* » (J'ai traduit de l'anglais, mais ce qui vaut pour *scarlet* vaut aussi, et mieux encore, pour le français écarlate.)

De nombreuses enquêtes menées dans plusieurs langues attestent que le phonème /a/ évoque le plus souvent la couleur rouge (surtout chez les enfants. L'audition colorée devient plus rare, ou moins nette, chez la plupart des adultes, mais on arrive à la déceler par des moyens indirects). A titre d'exemple, je citerai la belle observation de Clavière, l'un des tout premiers qui se soient penchés sur le phénomène. Un navigateur de plaisance lui disait : « *Je suis marin et* [...] *je trouve* très naturel *et* très logique *la convention de mettre un feu rouge à babord... Au contraire, le mot feu me paraît mal fait, car le feu est rouge et il n'y a pas d'a dans ce mot.* » Que Rimbaud fasse *a* noir apparaît donc comme un scandale phonétique et visuel, imputable à une volonté de provocation dont le poète a donné d'autres exemples. Mais regardons-y à deux fois.

A, noir corset velu de mouches éclatantes

A propos du portrait de Berthe Morisot au bouquet de violettes, Valéry lui aussi qualifiera par ce dernier adjectif « *le noir qui n'appartient qu'à Manet* [...] *les places éclatantes du noir intense* [...] *la toute-puissance de ces noirs* [...] ».

« Éclatantes » contient les phonèmes /a/ et /k/, sommets de la chromaticité vocalique et consonantique. Un passage des *Illuminations* sur la beauté associe le noir aux vocables « éclatent » et « écarlates » (ce dernier, dont Jakobson fait son principal argument) :

> *des blessures écarlates et noires éclatent*
> *dans les chairs superbes*

Les vers du sonnet consacré à la voyelle *a* la font noire. Dans le phonétisme d'« éclatantes », le rouge existe néanmoins à l'état latent (« *Voyelles* [...] *je dirai quelque jour vos naissances latentes* »). Mieux encore : Rimbaud rapproche explicitement le noir du rouge dans le texte ci-dessus des *Illuminations* et dans d'autres : « *Le sang noir des belladones* » ; « *noirceurs purpurines* » ; « *ors vermeils* » rimant avec « *noirs sommeils* » ; « *la toilette rouge de l'orage* », « *Noir Laideron/ Roux Laideron* », « *Rougis/et leurs fronts aux cieux noirs* » ; etc.

Rimbaud lisait Baudelaire, pour qui le rouge, « *cette couleur si obscure, si épaisse* » forme pareillement couple avec le noir : « *rouge idéal* [...] *grande nuit* » ; « *nuit noire, rouge aurore* » ; « *néant vaste et noir* [...] *soleil noyé dans son sang* » ; etc. Sans même invoquer Stendhal, on trouverait probablement d'autres exemples chez les romantiques et leurs successeurs, car il pourrait s'agir là d'un poncif, dont le mobilier en bois noirci tapissé de velours rouge, typique des salons Second Empire et au-delà, fut peut-être la version embourgeoisée.

Que, dans le sonnet *Voyelles*, le symbolisme phonétique du rouge transparaisse sous le noir engage à considérer d'autres aspects.

131

Des seize à dix-huit voyelles que les phonologues identifient dans le français, Rimbaud connaît seulement cinq : celles des abécédaires qu'on récitait et chantait même dans les écoles avec la prononciation muette du *e*, que Rimbaud voit blanc (« *la lettre* e *sans accent sert principalement à écrire la voyelle /ə/ dite "*e muet*"* », note le *Grand Dictionnaire des Lettres* de Larousse). Or les phonologues font au *e* muet (dit aussi *e* caduc) une place à part. Pour certains, ce n'est pas un phonème ; selon l'analyse plus pénétrante de Jakobson, c'est un phonème zéro qui s'oppose, d'une part à tous les autres phonèmes du français (il ne contient pas d'éléments différentiels et n'a pas une sonorité constante) ; d'autre part à l'absence de phonème.

Le sonnet reconnaîtrait donc l'opposition majeure, propre au français, entre le /a/ – de tous les phonèmes, le plus chromatique et le plus saturé – et le /ə/, phonème zéro ou absence de phonème. A cette opposition phonologique maximale répondrait l'opposition, elle aussi maximale dans l'ordre panchromatique, entre le noir et le blanc. Cette dernière opposition semble dominante chez Rimbaud qui, sous l'influence du haschisch, voyait « *des lunes noires, des lunes blanches* » (à la différence des hallucinations colorées de Théophile Gautier : « *J'entendais le bruit des couleurs. Des sons verts, rouges, bleus, jaunes m'arrivaient par ondes parfaitement distinctes.* »).

Il se pourrait donc que la sensibilité visuelle de Rimbaud donnât le pas à la luminance sur le chromatisme, ou, plus précisément, qu'elle mît l'opposition du clair et du sombre (qu'on tient pour archaïque) avant celle de la luminosité et de la tonalité ; comme, semble-t-il, diverses langues ou cultures exotiques, notamment en Nouvelle-Guinée ; et aussi peut-être en sanscrit, en grec ancien et en vieil anglais.

La troisième voyelle du sonnet est *i*, rouge. On est frappé de voir se former ainsi le triangle élémentaire du rouge, du blanc et du noir, illustrant la double opposition entre présence et absence de luminosité (*blanc/noir*), et présence ou absence de ton (*rouge / blanc+noir*) où le rouge, couleur par excellence, occupe le sommet.

Après *i* rouge, *u* vert. L'opposition chromatique *rouge/vert* est maximale comme l'opposition achromatique *noir/blanc* à laquelle elle succède. Dans l'ordre phonétique, celle du *i* et du *u* ne l'est pas. L'opposition maximale, sur l'axe des voyelles antérieures et postérieures, s'établirait entre le *i* et le phonème écrit en français *ou*, mais cette voyelle n'existe pas dans les abécédaires. L'opposition la plus marquée dont disposait Rimbaud était donc celle de *i* et de *u* : voyelle palatale, antérieure, arrondie, transcrite /y/ par les phonéticiens, et qui, dans le triangle vocalique, occupe une position intermédiaire entre les deux autres.

Il convient de le noter : chez Rimbaud, les quatre couleurs jusqu'ici considérées forment un système, qui réapparaît dans le sonnet pour qualifier les quatre premières voyelles :

> *De tes* noirs *Poèmes, — Jongleur !*
> Blancs, verts, *et* rouges *dioptriques*

Ou encore :

> *des enfants lisant dans la* verdure *fleurie*
> *leur livre de maroquin* rouge *! Hélas, Lui, comme*
> *mille anges* blancs *qui se séparent sur la route,*
> *s'éloigne par-delà la montagne ! Elle, toute*
> *froide et* noire, *court ! après le départ de l'homme !*

(Dans les deux citations j'ai souligné les noms de couleurs.)

Reste le cas de *o* bleu. Séparé du système à quatre termes, le bleu appartient, chez Rimbaud, à un système à deux termes, qui le met en corrélation et opposition avec le jaune : « *apothéose bleue et jaune* » ; « *Bleu Laideron/Blond Laideron* » ; « *des pleurs d'or astral tombaient des bleus degrés* » ; « *De Lotos bleus ou d'Hélianthe* », et « *L'or des Rios au bleu des Rhins* » ; « *L'éveil jaune et bleu des phosphores chanteurs* » et « *Des lichens de soleil et des morves d'azur* ».

Les neurologues ont démontré que les oppositions *rouge/vert* et *bleu/jaune* relèvent de canaux distincts. Des cellules ganglionnaires différentes réagissent à l'une et à l'autre. Or le jaune manque dans le sonnet qui, ne prenant en compte que cinq voyelles, n'a pas de place pour une sixième couleur. Le choix du bleu, de préférence au jaune, s'explique peut-être du fait que le bleu est la couleur la plus saturée après le rouge : il rejetterait le jaune à l'arrière-plan. Castel le savait déjà et opposait à la « *fadeur* » du jaune « *le bleu [...] de toutes les couleurs, celle qui s'élève le plus haut, le blanc pur n'étant, ce me semble, qu'un degré de bleu* ». Il est aussi possible que le jaune trahisse sa présence après le bleu (comme, au début du sonnet, le rouge est présent sous le noir), à la fois par l'étymologie évidente du mot « clairon » (« *le jaune est clair de sa nature* », disait Castel) et par la couleur de cet instrument, fait de laiton nommé communément cuivre jaune.

L'esprit de Rimbaud offrait probablement aux synesthésies un terrain fertile. On aurait pourtant tort, en analysant le sonnet, d'envisager séparément chaque voyelle dans son rapport avec sa couleur. *Voyelles* n'illustre pas d'abord un cas d'audition colorée. Comme l'eût bien compris Castel, le sonnet repose sur des homologies perçues entre des différences. Même si l'on n'exclut pas que Rimbaud pût avoir une sensibilité au noir proche de celle de Castel, ses vers n'affirment pas que *a* est comme le noir (on a vu que la perception du rouge est latente), *e* comme le blanc, mais – et c'est tout autre chose – que *a*, phonème le plus plein, et *e*, phonème le plus vide, s'opposent en français de façon aussi radicale que le noir et le blanc ; et si Rimbaud voit *i* rouge et *u* vert, c'est parce que, dans le répertoire vocalique restreint qui est le sien, *i* s'oppose à *u* comme une couleur primaire à son antagoniste. Ce ne sont pas des correspondances sensorielles immédiatement perçues qui révèlent l'architecture du sonnet, mais les relations que l'entendement établit inconsciemment entre elles.

Sans doute, Rimbaud fait dans sa poésie une grosse consommation de noms de couleurs, et on se défend mal de l'impression qu'ils lui servent souvent de chevilles. Mais il n'est pas indifférent que ces noms soient le réservoir préféré où il puise pour compléter ses vers ; et ce faisant, il ne choisit pas n'importe quelle couleur (sauf peut-être « vert-chou » qui s'explique mal, sinon comme une rime de fortune à « caoutchouc » et « acajou » ; encore faut-il noter que, selon les neurologues, au niveau des cônes rétiniens les pôles du jaune et du bleu sont décalés vers le chartreuse et le violet). La carte cérébrale des couleurs était chez Rimbaud particulièrement prégnante et dotée d'une valeur fonctionnelle.

Il faudrait aussi se pencher sur l'abondance des consonnes nasales. Chabanon semble décrire la structure phonétique du sonnet avec un siècle d'avance quand il évoque les syllabes nasales, « *ces sons ingrats, fondus habilement avec des sons plus éclatants* [les voyelles !] *formant comme les ombres, les masses, le clair obscur du langage* ». Nous souvenant d'*Une Saison en enfer* : « *J'inventai la couleur des voyelles ! […] Je réglai la forme et le mouvement de chaque consonne* », nous nous interrogerions alors sur le système consonantique du sonnet, riche en consonnes diffuses soulignées par des allitérations et des paronomasies : *b*om*b*inent, *p*uanteurs ; om*b*re ; can*d*eur *d*es *v*a*p*eurs ; *f*iers, *b*lancs, om*b*elles ; *p*ourpres, lè*v*res *b*elles ; i*v*resses *p*énitentes ; *v*ibrements *d*i*v*ins, *m*ers *v*irides, *p*aix des *p*âtis, *p*aix des ri*d*es... Jakobson remarque quelque part que la nasalité est le trait le mieux compatible avec les termes non marqués de l'opposition *compact*/*diffus* : diffus pour les consonnes, compact pour les voyelles. Pour pousser plus loin l'analyse linguistique, la compétence me manque.

On notera enfin qu'en plus des couleurs les voyelles évoquent directement ou indirectement des sons. Les mouches de *a* bombinent, c'est-à-dire bourdonnent ; *e* évoque des frissons, *i* le rire, *u* des vibrements, *o* des strideurs et des silences tout à la fois. On passe ainsi d'un bruit continu (bourdonnement) à une agitation d'abord discontinue (frissons) puis évocatrice de bruits périodiques (cycles, vibrements) ; enfin à une alternance de bruits violents (strideurs) et de silences qui, dans le registre acoustique, correspond, mais à la fin, à la présence conjointe du noir et du rouge (celui-ci à l'état latent) dans le registre visuel au début. De même au dernier vers :

— *O l'Oméga, rayon violet de Ses Yeux !*

le bleu fonce en se mêlant de rouge (« *le violet est obscur* », disait Castel) comme pour esquisser la clôture d'un ensemble qui débutait par le noir ; et comme si l'ambiguïté de *o* sur le plan acoustique et son infléchissement vers le violet sur le plan visuel tendaient à reproduire, sous la forme d'un chiasme, l'ambiguïté visuelle de *a* et l'absence d'ambiguïté acoustique, qui lui est associée, du bourdonnement continu.

VOYELLES

A noir, E blanc, I rouge, U vert, O bleu : voyelles,
Je dirai quelque jour vos naissances latentes :
A, noir corset velu des mouches éclatantes
Qui bombinent autour des puanteurs cruelles,

Golfes d'ombre ; E, candeurs des vapeurs et des tentes,
Lances des glaciers fiers, rois blancs, frissons d'ombelles ;
I, pourpres, sang craché, rire des lèvres belles
Dans la colère ou les ivresses pénitentes ;

U, cycles, vibrements divins des mers virides,
Paix des pâtis semés d'animaux, paix des rides
Que l'alchimie imprime aux grands fronts studieux ;

O, suprême Clairon plein des strideurs étranges,
Silences traversés des Mondes et des Anges :
— O l'Oméga, rayon violet de Ses Yeux !

XX

J'ai raconté ailleurs dans quelles circonstances je connus André Breton, sur le bateau qui nous emmenait à la Martinique : longue traversée dont nous trompions l'ennui et l'inconfort en discutant sur la nature de l'œuvre d'art, par écrit d'abord, puis en conversation.

Pour commencer, j'avais soumis une note à André Breton. Il y répondit et je gardai précieusement sa lettre. Le hasard a voulu que, bien plus tard, je retrouvasse ma note en classant de vieux papiers : Breton me l'avait probablement rendue.

La voici, suivie du texte inédit d'André Breton que je remercie Madame Elisa Breton et Madame Aube Elléouët de m'avoir autorisé à publier.

Note sur les rapports
de l'œuvre d'art et du document,
écrite et remise à André Breton
à bord du *Capitaine Paul-Lemerle* en mars 1941

Dans le Manifeste du surréalisme, *A. B. a défini la création artistique comme l'activité absolument spontanée de l'esprit ; une telle activité peut être conçue comme résultant d'un entraînement systématique et de l'application méthodique d'un certain nombre de recettes ; néanmoins l'œuvre d'art se définit – et se définit exclusivement – par son caractère de liberté totale. Il semble que, sur ce point, A. B. ait sensiblement modifié son attitude (dans* La Situation surréaliste de l'objet*). Cependant, le rapport existant, selon lui, entre l'œuvre d'art et le document n'est pas parfaitement clair. S'il est évident que toute œuvre d'art est un document, peut-on admettre, comme l'impliquerait une interprétation radicale de sa thèse, que tout document soit, par là même, une œuvre d'art ? En partant de la position du* Manifeste, *trois interprétations sont en réalité possibles.*

1) La valeur esthétique de l'œuvre dépend exclusivement de sa plus ou moins grande spontanéité ; l'œuvre d'art la plus valable (en tant que telle) étant définie par la liberté absolue de sa production. Toute personne, convenablement entraînée et[ant] susceptible d'atteindre à cette complète liberté d'expression, la production poétique est donc ouverte à tous les hommes. La valeur documentaire de l'œuvre se confond avec sa valeur esthétique ; le meilleur document (jugé tel en fonction du degré de spontanéité créatrice) est aussi le meilleur poème ; en droit, sinon en fait, le meilleur poème peut être, non seulement compris, mais produit par n'importe qui. On peut concevoir une humanité dont tous les membres, exercés par une sorte de méthode cathartique, seraient poètes.

Une telle interprétation abolirait l'ensemble des privilèges électifs compris jusqu'à présent sous le nom de talent ; et si elle ne nie pas le rôle de l'effort et du travail dans la création artistique, tout au moins les déplace-t-elle à un stade antérieur à celui de la création proprement dit : celui de la recherche difficile et de l'application des méthodes pour susciter une pensée libre.

2) L'interprétation précédente étant maintenue, on constate néanmoins, a posteriori, *que les documents obtenus d'un grand nombre d'individus, si, du point de vue documentaire, on peut les considérer comme équivalents (c'est-à-dire résultant d'activités mentales également authentiques et spontanées), ne le sont cependant pas du point de vue artistique, certains d'entre eux procurant une jouissance, les autres pas. Comme on continue à définir l'œuvre d'art comme un document (produit brut de l'activité de l'esprit), on admettra la distinction sans chercher à l'expliquer (et sans en avoir la possibilité dialectique). On constatera l'existence d'individus poètes et d'autres qui ne le sont pas, malgré l'identité complète des conditions de leurs productions respectives. Toute œuvre d'art continue d'être un document, mais il y aura lieu de distinguer, parmi ces documents, entre ceux qui sont aussi des œuvres d'art, et ceux qui ne sont que des documents. Mais comme les uns et les autres restent définis comme des produits bruts, cette distinction, s'imposant* a posteriori, *sera considérée en elle-même comme une donnée primitive, échappant, par sa nature, à toute interprétation. La spécificité de l'œuvre d'art sera reconnue sans qu'il soit possible d'en rendre compte. Elle constituera un « mystère ».*

3) Enfin, une troisième interprétation, tout en maintenant le principe fondamental du caractère irréductiblement irrationnel et spontané de la création artistique, distingue entre le document, produit brut de l'activité mentale, et l'œuvre d'art qui consiste toujours *en une élaboration secondaire. Il est évident, toutefois, que cette élaboration ne peut être l'œuvre de la pensée rationnelle et critique ; une telle éventualité doit être radicalement exclue. Mais on supposera que la pensée spontanée et irrationnelle peut, dans certaines conditions, et chez certains individus, prendre conscience d'elle-même et devenir véritablement réflexive, étant entendu que cette réflexion s'exerce selon des normes qui lui sont propres, et aussi imperméables à l'analyse rationnelle que la matière à laquelle elles s'appliquent. Cette « prise de conscience irrationnelle » entraîne une certaine élaboration du donné brut, elle s'exprime par le choix, l'élection, l'exclusion, l'ordonnancement en fonction de structures impératives. Si toute œuvre d'art continue d'être un document, elle dépasse le plan documentaire, non seulement par la qualité de l'expression brute, mais par la valeur de l'élaboration secondaire, qui n'est d'ailleurs dite « secondaire » que par rapport aux automatismes de base, mais qui, par rapport à la pensée critique et rationnelle, présente le même caractère d'irréductibilité et de primitivité que ces automatismes eux-mêmes.*

La première interprétation n'est pas en accord avec les faits ; la seconde soustrait le problème de la création artistique à l'analyse théorique. La troisième, par contre, semble seule susceptible d'éviter certaines confusions, auxquelles le surréalisme ne paraît pas avoir toujours échappé, entre ce qui est esthétiquement valable et ce qui ne l'est pas, entre ce qui l'est plus et ce qui l'est moins. Tout document n'est pas nécessairement une œuvre d'art, et tout ce qui constitue une rupture peut être également valable pour le psychologue ou pour le militant, mais pas pour le poète, même si le poète est aussi un militant. L'œuvre d'un débile mental a un intérêt documentaire aussi grand que celle de Lautréamont, elle peut avoir une efficacité polémique supérieure, mais l'une est une œuvre d'art, l'autre pas, et il faut avoir le moyen dialectique de rendre compte de la différence, *comme aussi de la possibilité que Picasso soit un plus grand peintre que Braque, Apollinaire un grand poète et Roussel pas, Salvador Dali un grand peintre en même temps qu'un écrivain détestable, ces jugements n'étant indiqués qu'à titre d'exemples[1], mais des jugements de cette forme, bien que peut-être différents ou contraires, n'en devant pas moins constituer le terme absolument nécessaire de la dialectique du poète et du théoricien.*

Comme les conditions fondamentales de la production du document et de l'œuvre d'art ont été reconnues comme identiques, ces distinctions essentielles ne peuvent être acquises qu'en déplaçant l'analyse, de la production au produit, et de l'auteur à l'œuvre.

A relire aujourd'hui cette note manuscrite, la gaucherie de la pensée me gêne, la lourdeur de l'expression aussi. Faible excuse : il est clair que je l'écrivis d'un trait (deux mots raturés seulement). J'aurais préféré l'oublier. C'eût été faire tort à l'important texte que Breton me remit en réponse. Sans le mien, on ne comprendrait pas son objet.

Dans le manuscrit de Breton, de soigneuses ratures rendent indéchiffrables une dizaine de mots ou membres de phrases, remplacés par une nouvelle rédaction dans l'interligne où figurent aussi quelques ajouts. Les corrections apportées aux dernières lignes, très raturées, ne permettent pas de juger si Breton, moins pressé d'en finir, aurait opté pour une construction grammaticale, ou s'il l'a délibérément rejetée.

---

1. Même formulés sur le mode hypothétique, ils me semblent aujourd'hui bien naïfs. Mes horizons de 1941 allaient heureusement s'ouvrir au contact des surréalistes.

Réponse d'André Breton

La contradiction fondamentale que vous soulignez ne m'échappe pas : elle demeure en dépit de mes efforts et de quelques autres pour la réduire *(mais elle ne m'inquiète pas, ne saurait me confondre car je sais qu'en elle réside le secret du mouvement en avant qui a permis au surréalisme de durer). Oui, naturellement, mes positions ont sensiblement varié depuis le 1er manifeste. A l'intérieur de tels textes-programmes, qui ne supportent l'expression d'aucune réserve, d'aucun doute, dont le caractère essentiellement agressif exclut toute espèce de nuances, il est bien entendu que ma pensée tend à prendre un tour extrêmement brutal, voire simpliste que je ne lui connais pas intérieurement.*

Cette contradiction qui vous frappe est, je crois bien, la même que Caillois, je vous le disais, a relevée si sévèrement. J'ai tenté de m'en expliquer dans un texte intitulé « La beauté sera convulsive » (Minotaure n° 5) et repris en tête de L'Amour fou. *Je cède en effet tour à tour — et après tout pourquoi pas ? je ne suis pas le seul — à deux entraînements très distincts : le premier me porte à rechercher dans l'œuvre d'art une jouissance (c'est le seul mot juste, vous l'employez, car l'analyse de ce sentiment chez moi ne me livre que des éléments para-érotiques) ; le second, qui se manifeste indépendamment ou non du premier, me porte à l'interpréter en fonction du besoin général de connaissance. Ces deux tentations, que je distingue sur le papier, ne sont pas toujours bien démêlables (elles tendent aussi à se confondre dans maint passage d'*Une saison en enfer*).*

Il va sans dire que, si toute œuvre d'art peut être considérée sous l'angle du document, la réciproque ne pourrait aucunement se soutenir.

Examinant successivement vos trois interprétations, je n'éprouve aucun embarras à vous dire que je ne me sens absolument près que de la dernière. Quelques mots, cependant, à propos des précédentes :

1) Je ne suis pas sûr que la valeur esthétique *de l'œuvre dépende de sa plus ou moins grande spontanéité. J'avais beaucoup plus en vue son authenticité que sa beauté et la définition de 1924 en témoigne : « Dictée de la pensée... en dehors de toute préoccupation* esthétique *ou* morale. *» Il ne peut vous échapper que l'omission de ce dernier membre de phrase eût été de nature à priver l'auteur de textes automatiques d'une partie de sa liberté : il fallait commencer par le mettre à l'abri de tout jugement de cet ordre si l'on voulait éviter qu'il en subît la contrainte* a priori *et se comportât en conséquence. Ceci n'a malheureusement pas été pleinement évité (minimum d'arrangement du texte automatique en poème : je l'ai déploré dans ma lettre à Rolland de Reneville publiée dans* Point du jour *mais il est aisé de faire la part de ce souci et d'en abstraire l'œuvre considérée).*

2) Je ne suis pas si sûr que vous de la très grande différence qualitative qui existe entre les divers textes tout spontanés qui peuvent être obtenus. Il m'est toujours apparu que le principal *élément de médiocrité susceptible d'intervenir était dû à l'impossibilité où beaucoup d'êtres se trouvent de se placer dans les conditions requises pour l'expérience. Ils se contentent d'enregistrer un discours décousu, dont les coqs à l'âne, le saugrenu leur font illusion mais, à des signes aisément décelables, on peut constater qu'ils ne se sont pas réellement « jetés à l'eau », ce qui suffit à écarter leur prétendu témoignage. – Si je dis que je n'en suis pas si sûr que vous, c'est surtout que j'ignore comment le* soi *(commun à tous les hommes) se trouve réparti (également ou, si c'est inégalement, dans quelle mesure ?) entre les hommes. Seule, une investigation de caractère systématique* et qui laisse provisoirement de côté les artistes *pourrait nous renseigner à ce sujet. La hiérarchisation des œuvres surréalistes ne m'intéresse guère (à rebours d'Aragon qui affirmait autrefois : « Si vous écrivez de manière purement surréaliste de tristes imbécillités, ce seront de tristes imbécillités ») ; de même, comme je l'ai donné à entendre, que la hiérarchisation des œuvres romantiques, ou symbolistes. Ma classification de ces dernières œuvres se distinguerait foncièrement de celle qui a cours et, surtout, j'objecte à ces classifications qu'elles nous font perdre de vue la signification profonde, historique de ces mouvements.*

3) L'œuvre d'art exige-t-elle toujours *cette élaboration secondaire ? Oui, sans doute, mais seulement dans le sens très large où vous l'entendez : « prise de conscience irrationnelle », et encore, à quel échelon de conscience cette élaboration s'opère-t-elle ? Nous ne serions, en tout cas, que dans le préconscient. Les productions d'Hélène Smith en état de transe ne peuvent-elles pas être tenues pour des œuvres d'art ? Et si l'on parvenait à démontrer que tels poèmes de Rimbaud sont de purs et simples rêves éveillés, les goûteriez-vous moins ? Les relégueriez-vous dans le tiroir aux « documents » ? La distinction continue à me paraître arbitraire. Elle devient à mes yeux spécieuse quand vous opposez Apollinaire poète à Roussel non-poète ou Dali peintre à Dali écrivain. Êtes-vous sûr que le premier de ces jugements ne soit pas trop traditionaliste, ne tienne pas trop compte de la « vieillerie poétique » ? Je ne tiens pas Dali pour un grand « peintre » et ceci pour l'excellente raison que sa technique est manifestement régressive. Chez lui, c'est vraiment l'homme qui m'intéresse, et son interprétation poétique du monde. Aussi ne puis-je m'associer à votre conclusion (mais ceci vous le saviez* *déjà). D'autres raisons plus impérieuses militent en faveur de sa non-acceptation de ma part. Ces raisons, j'y insiste, sont d'*ordre pratique *(adhésion au matér. histor.). L'allégement de la responsabilité psychologique est nécessaire à l'obtention de l'attitude initiale dont tout dépend, soit, mais la responsabilité psychologique et morale au-delà : identification progressive du moi conscient avec l'ensemble de ses concrétions (c'est bien mal dit) tenu pour le théâtre dans lequel il est appelé à se produire et à se reproduire, tendance à la synthèse du principe du plaisir et du principe de réalité (pardon de rester encore au bord de ma pensée sur ce sujet) ; mise en accord à tout prix du comportement extra-artistique et de l'œuvre : anti-valérysme.*

XXI

En écrivant la fin de *L'Homme nu*, j'avais présente à l'esprit la page grandiose qui termine l'*Essai sur l'inégalité des races humaines*. Gobineau y évoque la disparition inéluctable de notre espèce : issue qui ne pouvait passer pour douteuse puisque « *la science, en nous montrant que nous avons commencé, semblait toujours nous assurer que nous devions finir* » ; et que viendront « *ces âges envahis par la mort, où le globe, devenu muet, continuera, mais sans nous, à décrire dans l'espace ses orbes impassibles* ».

Le ton du morceau, l'épithète « impassible » étaient restés gravés dans ma mémoire. Je m'en suis inspiré. Mais, en même temps, une autre épithète, qui n'est pas chez Gobineau, s'imposait à moi avec une force singulière : « abrogé », pour qualifier un constat.

Je voyais bien qu'elle était impropre. L'abrogation est un acte de la puissance publique. On abroge une loi, un règlement ; on n'abroge pas un constat : on l'annule, on le discute, on le conteste, on l'invalide... Pourtant c'était « abrogé » qu'il me fallait irrésistiblement écrire.

La raison de cette bizarrerie m'apparut seulement après plusieurs années quand je fus amené, je ne sais plus en quelle

147

occasion, à relire la page de Gobineau. En l'imitant – d'assez loin, il est vrai : on pourrait ne pas s'en apercevoir – j'avais retenu « impassible » qui qualifie « orbe », mais renâclé devant ce dernier vocable, par crainte d'introduire dans mon texte une note précieuse et quelque peu anachronique.

Mais « orbe », refoulé, ne s'est pas laissé faire. Par une transformation qui ressemble en miniature à celles qu'on observe dans les mythes, sa personnalité phonique a resurgi sous ma plume après s'être simplement inversée : « abrogé » contient *b, r, o,* au lieu de *o, r, b.* Sitôt aperçue, la raison de la faute de langage à laquelle je n'avais pu me soustraire m'a paru évidente, car elle expose un des mécanismes de la création littéraire. Une impropriété cesse d'être telle quand elle a sa propre logique, différente de celle du discours dans lequel elle s'est introduite. On la perçoit plutôt comme un emploi original de la langue qui donne à l'expression son mordant. Détourné du sens propre, le mot acquiert une signification inhabituelle que l'auteur n'avait pas voulue. Il la constate, sans même se rendre compte que cette innovation sémantique tient à des causes auxquelles la pensée réfléchie n'eut point de part.

Regards sur les objets

XXII

Dans l'histoire des arts plastiques, le réalisme a-t-il précédé la convention ou bien l'inverse ? Le sujet était à la mode au tournant de ce siècle. Selon Boas, on posait là un faux problème : « *Puisque les deux tendances sont toujours à l'œuvre parmi nous, il est plus vraisemblable d'admettre qu'elles ont toujours existé, et que ni l'une ni l'autre des deux thèses ne reflète le développement historique de l'art décoratif.* » Certes. On n'en reste pas moins perplexe de voir Boas, dans sa célèbre étude sur les étuis à aiguilles des Eskimo d'Alaska, montrer page après page comment des sculpteurs récents se sont plu à changer dans un sens réaliste une forme conventionnelle, déjà attestée du détroit de Béring jusqu'au Groenland aux temps préhistoriques, tout en éludant le problème « *totalement obscur* » de l'origine de cette forme conventionnelle à laquelle on ne peut trouver aucune justification technique ni utilitaire, mais qui évoque – comme si souvent les arts du nord-ouest de l'Amérique – une figure animale stylisée au point qu'elle en devient méconnaissable.

Derrière le faux problème dénoncé par Boas, un autre se cache. L'art des peuples sans écriture ne renvoie pas seulement à la nature ou à la convention, ou bien aux deux ensemble. Il renvoie aussi au surnaturel. Nous, qui ne voyons plus le surnaturel en face, le remplaçons par des symboles conventionnels ou par des personnages humains ennoblis. Que ce soit en Mélanésie, sur la côte Nord-Ouest de l'Amérique ou ailleurs, les représentations conventionnelles jouent un rôle, mais elles ne tiennent pas lieu de l'expérience. Elles fournissent une sorte de grammaire dont on applique consciemment ou inconsciemment les règles pour exprimer une réalité vécue.

La langue des Wintu, Indiens de la Californie, distingue les vérités d'expérience et les croyances. Or c'est toujours par la catégorie grammaticale d'expérience qu'on s'exprime au sujet du surnaturel. La langue rejette les phénomènes et les événements qui relèvent de la causalité naturelle au nombre de ceux connus impersonnellement et de façon indirecte.

Un mythe des Oglala, qui sont des Indiens des Plaines, a pour héroïne une jeune fille d'autant plus parfaite qu'elle venait de l'au-delà. Elle savait tanner les peaux pour les rendre blanches et souples ; elle en faisait de bons vêtements sur lesquels elle mettait des ornements superbes. Chacun avait une signification : un décor de montagnes sur les côtés des mocassins, pour que le porteur puisse aller de sommet en sommet sans jamais descendre dans les vallées ; sur le dessus, des libellules pour qu'il échappe à tous les périls ; sur ses jambières, des empreintes de loup pour qu'il ne se fatigue jamais ; sur sa tunique, le cercle des tipis pour qu'il trouve partout un abri.

Quand on connaît l'art des peuples sioux, on sait combien ces motifs, schémas géométriques le plus souvent, étaient éloignés de la nature (au point que les informateurs les interprétaient chacun à sa façon). Ils étaient pourtant censés représenter des réalités supérieures à celles de l'expérience commune.

En un sens, on pourrait dire que le problème discuté par Boas se pose aussi pour la musique. La musique populaire serait à la musique dite savante comme l'art décoratif est à l'art représentatif. Dans le premier cas, même solidarité avec un support : la musique soutenant la danse est comme le décor de l'objet ; même façon de procéder par composition ou répétition d'éléments simples : couplets, refrains d'une part, motifs récurrents de l'autre ; même pauvreté d'un contenu où prévalent des formes stylistiques creuses ; même caractère de gratuité.

La musique populaire est antérieure à la musique savante. On serait donc tenté, sur la foi de l'analogie, de considérer que l'art décoratif est lui aussi apparu en premier. Le parallélisme ne tient pourtant pas devant le fait qu'à la différence des arts plastiques, la musique, pour se développer, eut besoin d'un système de notation, c'est-à-dire une écriture, qui joue le rôle d'intermédiaire entre la conception et l'exécution. Il fallait que, rompant avec la tradition orale, la musique devînt écrite pour se faire représentative (non d'autre chose, mais d'elle-même : Kant n'aimait pas la musique ; il la mettait au dernier rang des beaux-arts et lui faisait, entre autres griefs, celui de déranger les voisins. Pourtant, les œuvres musicales aussi répondent à sa définition de l'art comme finalité sans fin).

Sans écriture, l'expression orale a produit de grandes œuvres, confiées d'abord à la seule mémoire : poèmes homériques, chansons de geste, mythes. Pourquoi faut-il à la musique une écriture, et même une écriture qui lui soit propre ? Sans doute parce que la littérature orale est adéquate à cet instrument d'usage général qu'est le langage, tandis que la musique requiert un langage qui lui soit adéquat, sans toutefois pouvoir l'être pleinement en raison de la continuité du discours musical et de la discontinuité inhérente à tout système de notation.

On peut parler d'art « primitif » en deux sens. Soit que l'insuffisance de savoir-faire et de moyens techniques empêche l'artiste de remplir le but qu'il se propose – imiter son modèle –, et ne lui permette que de le signifier ; tel serait, entre autres, le cas de l'art que nous appelons « naïf ». Soit que le modèle présent à l'esprit de l'artiste, étant surnaturel, échappe par essence aux moyens sensibles de représentation : par excès d'objet et non plus par un défaut du sujet, l'artiste ne pourra, là aussi, que signifier. Sous des modalités diverses, l'art des peuples sans écriture illustre ce dernier cas.

Or la musique dite savante cumule les deux aspects. Aux temps modernes chez nous, à diverses époques dans d'autres cultures lettrées, elle s'émancipe et conquiert une autonomie par rapport à la musique populaire, solidaire d'autres formes d'activité, et qui contribue à la structure sans la constituer. Mais, ce faisant, la musique savante rend encore plus manifeste sa sujétion à des contraintes du même ordre que celles qui s'exercent soit sur l'art « primitif », soit sur l'art « des primitifs ». L'insuffisance des moyens, eu égard au but visé, résulte du décalage entre un système d'écriture à l'aide de signes discontinus, hérité de temps anciens et auquel aucune des réformes proposées depuis plusieurs siècles n'a pu remédier : la partition signifie la musique, mais elle ne la représente pas. Et les instruments, qui exercent une médiation obligée pour effectuer le dessein du compositeur, sont autant de machines, elles aussi héritées de l'ancien temps et compliquées au cours des siècles, sans surmonter pleinement toutes sortes de problèmes concrets de facture, d'acoustique, de résistance des matériaux, de température, d'humidité, avec lesquelles l'exécutant, si habile soit-il, ne peut jamais – l'ambiguïté du terme est révélatrice – que *composer*.

Tout cela constitue un premier aspect. Un autre est inhérent, non plus à un état historique de la musique, mais à cet art pris dans sa généralité. A la différence du langage articulé, la musique n'a pas un vocabulaire connotant les données de l'expérience sensible. Il en résulte que l'univers auquel elle se réfère échappe à la figuration et qu'il a pour cette raison – mais au sens littéral cette fois – une réalité surnaturelle : fait de sons et d'accords qui n'existent pas dans la nature, et que les Anciens mettaient en rapport étroit avec les dieux.

Si paradoxal que cela semble, ces caractères de la musique et le retard qu'elle a pris par rapport aux autres arts pour conquérir son autonomie expliquent qu'encore chez nous elle demeure un art « primitif ». Les surréalistes furent presque tous sourds à la musique. La raison n'est-elle pas que dans cet art, primitif à l'égal de ceux qu'ils aimaient, mais, pour ce qui le concerne, dans sa totalité, ils n'apercevaient rien à quoi ils puissent s'opposer, comme il leur était loisible de le faire en peinture et en poésie ? Le défaut d'adversaire les désemparait.

Il arrive souvent dans l'histoire de l'art qu'à certaines périodes ou dans certains domaines, la qualité esthétique diminue quand s'accroissent le savoir et l'habileté techniques. Depuis l'Égypte ancienne jusqu'aux temps modernes on multiplierait les exemples. Ou bien l'art et la perfection du métier vont de pair, comme chez Ingres. Mais c'est qu'Ingres (je reviens toujours à ce cas exemplaire) a consciemment renoncé (Delacroix lui reprochait l'absence de naïveté) à ce qu'à son époque on tenait pour des progrès techniques :

clair-obscur, modelé (ou bien en retournant au procédé, qualifié alors de « gothique », du « modelé dans le clair »). Lui-même se flatte de se servir « *des écoles du quatorzième et du quinzième siècle* [...] *avec plus de fruit qu'ils* [ses détracteurs] *ne savent voir* ». D'où le reproche d'archaïsme que, comme à Poussin, on lui fit.

Parmi les problèmes qui ont beaucoup préoccupé Boas dans ses réflexions de pionnier sur l'art des peuples sans écriture, on citera cet exemple : une jambière provenant des Indiens Thompson, de la Colombie britannique, porte des franges en cuir découpé, certaines laissées telles quelles, d'autres ornées d'un enfilage de perles d'os ou de verre, disposées de deux façons différentes qui alternent entre elles et alternent ensemble avec les franges non perlées. Or, remarque Boas, quand les jambières sont portées, que ce soit en mouvement ou au repos, les franges s'emmêlent. La femme qui les a confectionnées n'a pas cherché un effet visible. Les comptages auxquels elle s'est livrée, le soin qu'elle a pris de les respecter dans son ouvrage, ne peuvent tenir qu'à un plaisir d'exécution. Le rythme décoratif, d'où vient la beauté du costume, est de même nature que le rythme des pas dans la danse, des gestes répétitifs dans le déroulement d'une activité technique ; et plus généralement, que le rythme régulier des habitudes motrices (ainsi le balancement des bras quand on marche).

Régularité, symétrie, rythme seraient donc pour Boas (comme, déjà, pour Diderot) à la base de toute activité esthétique. Mais le formalisme de Boas exclut que cette imitation directe ou indirecte de contraintes physiques ou corporelles ait sa source dans des émotions, ou qu'elle véhicule un message. La charge émotive, quand elle existe, se surajoute. Boas a certes raison de proscrire le verbiage sentimental ou philosophique à quoi se laisse trop souvent aller la critique d'art. Mais il est paradoxal que son formalisme cherche, dans les mouvements et les gestes, un fondement naturaliste et empirique. Entre ces deux extrêmes, comme on le disait des hautes et des basses dans l'harmonie de Grétry, on ferait passer un carrosse.

Il suffit de se pencher sur les analyses détaillées que Boas a faites de la répartition des motifs et des couleurs dans les textiles péruviens et d'autres types de vêtements ou de parures, pour que la nature réelle du rythme décoratif apparaisse. Il s'agit toujours et partout d'une combinatoire à quoi s'attache une satisfaction d'ordre intellectuel.

Benveniste a démontré qu'en grec *rhuthmos* a pour sens primitif : « *arrangement caractéristique des parties dans un tout* ». De spatiale, la connotation devient temporelle chez Platon qui étend la notion de rythme aux mouvements du corps dans la gymnastique et la danse. Boas, comme ses contemporains, prend l'étymologie à contre-pied, en dérivant le rythme, entendu au sens spatial, de phénomènes physiologiques moteurs qui se déroulent dans la durée. Il faut donner raison aux présocratiques : dans le rythme décoratif, c'est l'idée de « tout » qui domine, car la récurrence n'est perceptible que si la cellule rythmique inclut un nombre d'éléments limité. Dans une collection finie d'éléments procurés au hasard, ou que le bricoleur trouve dans son trésor, comment établira-t-on un ordre ? La notion de rythme recouvre la série des permutations permises pour que l'ensemble forme un système. Cela est vrai des matières comme des formes, des couleurs comme des durées, des accents ou des timbres, des orientations dans l'espace et des orientations dans le temps.

Temporelle ou spatiale, la périodicité joue un rôle, car la répétition est essentielle à l'expression symbolique, qui coïncide intuitivement avec son objet sans jamais se confondre avec lui. Par rapport à la chose symbolisée, le symbole constitue un ensemble dont les éléments sont autres que ceux présents dans la chose, mais entre lesquels existent les mêmes relations. Aussi le symbole, pour s'établir durablement comme tel, a-t-il en plus besoin d'une connexion physique avec la chose : il faut que, dans les mêmes circonstances, il soit régulièrement répété.

En permutant les durées, elles-mêmes au nombre de cinq, de cinq notes successives, Wagner créait les motifs du Sommeil de Brünhild, de l'Oiseau, des Filles du Rhin. D'autres permutations étaient possibles ; peut-être les repérera-t-on ailleurs. Que cela arrive ou non, on devra chercher pourquoi, dans l'esprit du compositeur, les permutations qu'il a retenues forment un système et d'autres pas. De même pour la distribution des perles dans un collier ou sur des franges, des motifs et des couleurs dans un tissu. Plusieurs arrangements étaient possibles qui eussent satisfait à des exigences de régularité, de symétrie, de rythme. Le problème n'est donc pas de savoir s'il y a régularité, symétrie et rythme, mais pourquoi l'artiste a choisi celui-ci ou celle-ci, plutôt que celui ou celle-là. La présence d'un rythme décoratif pose un problème dont il faut chercher la solution au-delà.

Même parmi les arts dits « primitifs », dans la recherche d'une structure certains vont plus ou moins loin. Le plus souvent, ceux de l'Afrique se bornent à styliser. Il y a bien transposition structurale, mais elle reste d'ordre plastique. C'est, si l'on peut dire, la structure la plus proche de l'objet empirique, celle immédiatement sous-jacente au réel. Il était donc normal que l'art nègre fût le premier accessible à l'art occidental en quête de renouvellement ; mais il reste aussi le plus limité.

Les théories de l'art vont, elles aussi, plus ou moins loin. Des conséquences encore plus fâcheuses s'ensuivent quand tel art ou telle œuvre s'inspire consciemment d'une théorie. Pour qu'un style susceptible de durer apparaisse, il faut que l'intelligence de l'artiste ne s'empresse pas d'enjamber l'écart entre le monde et la manière de le représenter. Darius Milhaud écrivit, paraît-il, vers 1920 des fugues où il appliquait volontairement une loi naturelle. En peignant *Nu descendant un escalier*, Marcel Duchamp avait pleine conscience qu'il se référait à la chronophotographie. De telles œuvres se vident d'un coup de leur substance, elles trahissent qu'elles n'ont plus rien à dire dans l'acte même de s'exprimer.

En revanche, quand l'art héraldique a imaginé les couronnes, il ne pouvait savoir que ces objets reproduisaient par leur forme des états très fugitifs de la matière. Une couronne de comte offre l'image précise de l'éclaboussure projetée par une goutte de lait tombant dans ce liquide, mais, pour qu'on le sache, il fallait que la chronophotographie fût inventée. De même, ceux qui conçurent les couronnes royales ou impériales dites fermées ignoraient, et pour cause, que l'explosion d'une bombe atomique en fournirait, pendant une fraction de seconde, un prototype que la nature tenait dans le secret.

Sans que les artistes qui les imaginèrent pussent en avoir la moindre idée, les couronnes résultent d'une aperception intuitive, et qui a toutes les apparences de la divination, d'états instables de la matière. Plus étonnant encore, leur hiérarchie reproduit celle des degrés d'instabilité intrinsèque – du liquide au gaz – de la matière selon l'enseignement des physiciens. L'esprit humain était capable de concevoir ces formes et leurs rapports bien avant que leur existence réelle ne lui fût révélée.

XXIII

Nous ne tenons pas la vannerie en haute estime. On ne la voit pas trôner dans nos musées aux côtés de la peinture et de la sculpture, ni même du mobilier ou des arts appliqués. Déjà au XVIIIᵉ siècle, l'*Encyclopédie* portait sur cet oubli un jugement clairvoyant : « *Cet art est fort ancien et fort utile : les pères du désert et les pieux solitaires l'exerçoient dans leur retraites, et en tiroient la plus grande partie de leur subsistance : il fournissoit autrefois des ouvrages très fins pour servir sur la table des grands, où l'on n'en voit plus guère, les vases de crystal ayant pris leur place.* » Qui connaît encore aujourd'hui les mots mandrerie, closerie, faisserie, lasserie, qui désignent les quatre types principaux d'ouvrages que comprend l'art de la vannerie ?

« *La vannerie,* dira un siècle plus tard une autre encyclopédie, *emploie des matières premières fournies par la nature en abondance et à peu près toutes préparées, n'exigeant, comme façonnage, qu'une certaine habileté manuelle et peu ou point d'outils.* » Elle est aussi périssable. Autant de raisons qui expliquent la défaveur qu'elle subit.

Chez les peuples sans écriture, cet art occupe au contraire une grande place et souvent la première : la vannerie se prête à d'innombrables usages, et elle atteint une perfection que nous ne saurions plus égaler. Aux mains de spécialistes, la vannerie constituait un art noble qui, par exemple chez les Indiens des Plaines, était le privilège de cercles d'initiées.

Cependant, les croyances et les rites de ces peuples reconnaissaient à l'art de la vannerie une certaine ambiguïté. Les plus admirables vanniers qu'ait connus l'Amérique du Nord vivaient à l'ouest des Rocheuses, en Californie, Oregon, Colombie britannique, Alaska. Selon un de leurs mythes, un panier réussi devait satisfaire à deux exigences : être parfaitement étanche (dans cette région où l'on ne faisait pas ou peu de poterie, les paniers en vannerie spiralée, de facture très serrée, servaient de récipients pour l'eau et d'autres liquides ; on y immergeait des pierres chauffées au feu pour cuire les aliments) ; et comporter dans le tressage un motif décoratif, comme celui dont la première vannière eut la révélation en voyant jouer les rayons du soleil dans un ruisseau.

Ainsi le mythe met sur le même plan deux aspects, l'un fonctionnel, et l'autre que nous appellerions décoratif. Mais ce dernier mot convient-il ? Les mythes des Pomo de la Californie incitent à en douter.

Les esprits des paniers, disent-ils, logent dans le décor tressé : c'est leur village. Aussi ce décor doit-il inclure une « porte » : défaut intentionnel, souvent à peine visible, rompant la continuité du motif, et qui permet à l'esprit du panier, quand il meurt, de s'échapper pour gagner un séjour céleste. Une femme, qui avait omis de faire une « porte » dans son panier, fut condamnée à mort par l'esprit prisonnier. Le démiurge apitoyé consentit à ce que la vannière et l'esprit du panier montassent ensemble au ciel.

Que leurs esprits habitent les objets manufacturés n'est pas

161

rare. Qu'il faille leur ménager une porte de sortie montre qu'ils sont particulièrement exposés. Le panier représente un état d'équilibre instable entre la nature et la culture : proche de la nature par les matières abondantes qu'elle fournit toutes préparées ou presque, le peu de travail nécessaire (je qualifierai cet aspect), un temps de service limité qui le promet au rebut ; mais temporairement intégré à la culture par le façonnage et par l'emploi auquel il est destiné.

Dans la forêt ou dans la brousse, j'ai souvent vu un Indien, pour transporter une cueillette de plantes sauvages ou du gibier, couper une palme, rabattre les folioles et les tresser sur place. Il confectionne ainsi avec de la verdure un panier qu'il jettera sitôt de retour au campement car cet emballage improvisé est de peu d'usage. Sans doute s'agit-il là d'un cas extrême comparé à ces chefs-d'œuvre que sont, en Amérique, les paniers de vannerie spiralée, cousus au lieu de tressés, dont la fabrication prend plusieurs jours à une ouvrière expérimentée, et qui durent souvent bien au-delà de la génération qui les a vu fabriquer. Peu durables étaient en revanche, chez les mêmes peuples, les paniers souples utilisés pour serrer les effets domestiques.

Les nombreuses petites populations établies dans la région ne confectionnaient pas les mêmes types de paniers, et leur emploi variait de l'une à l'autre. En dépit de cette diversité, il semble que depuis l'Oregon jusqu'à la Colombie britannique on répartissait les paniers en deux catégories : paniers durs et paniers mous, opposition que la langue des Thompson (de la famille Salish) rend joliment par un symbolisme phonétique : *kwetskwetsä'ist* pour la vannerie rigide, *lepalepä'ist* pour la souple.

Opposition sur laquelle insiste aussi la mythologie. Les Indiens de langue sahaptian parlent des Paniers-Mous, peuple d'ogresses voleuses et mangeuses d'enfants. Chez les Chinook voisins, elles ont leur analogue en la personne de l'« Ogresse à la hotte » qui porte en haut-chinook le même nom par lequel le sahaptian désigne les Paniers-Mous. Les Salish de Puget Sound − qui connaissent un dangereux peuple de paniers − appellent le même personnage Dame Escargot parce que, après sa mort, son panier se transforma en coquille de ce gastéropode. Écraser une coquille d'escargot rend cannibale. Les Indiens décrivent avec précision la façon dont était tressé le panier de l'ogresse, pareil à ceux qu'ils emportent pour pêcher les clams, assez rigide pour se prêter à ce rude service.

Des mythes racontent comment le Démiurge, le Décepteur, ou bien un héros culturel, fit périr une de ces ogresses dans un incendie ou par d'autres moyens. Plusieurs genres de paniers hostiles, bien qu'à un moindre degré, font cortège à ces cannibales. Selon les Pomo (qui, on s'en souvient, ménagent une porte de sortie aux esprits des paniers dans le décor de la vannerie), le Décepteur rencontra un peuple de paniers : « *des paniers de toutes sortes, et c'étaient des humains* ». Comme ils lui refusaient tout service et couraient de-ci de-là quand il voulait les saisir, le Décepteur furieux les mit en pièces. Les Chehalis, Salish de la côte, racontent qu'au temps jadis le héros culturel eut à se plaindre des hommes-paniers : ils marchaient tout seuls, mais se laissaient retomber du haut de la montagne jusqu'au fleuve où les poissons séchés dont on les avait remplis ressuscitaient et s'enfuyaient. Le héros décréta que désormais les paniers ne pourraient plus se mouvoir, et que les humains devraient se donner la peine de les porter avec leur charge.

Dans tout le nord-ouest de l'Amérique, le motif des paniers cannibales est étroitement associé à celui de l'ogresse

163

tuée sous prétexte de l'embellir (l'enfant qu'elle a capturé la persuade de subir un traitement, en fait mortel, pour devenir aussi blanche, ou aussi joliment rayée, ou capable d'émettre des sons aussi plaisants que lui). Le motif est typique des cultures dites basses de l'Amérique du Sud, notamment chez les Gê. Cette récurrence incite à se demander s'il existe aussi en Amérique du Sud des parallèles à la mythologie des paniers.

En Amérique du Nord, chez les Sahaptin, la Dame Panier-Mou n'est pas seulement une ogresse : elle séduit les hommes et tranche leur pénis avec son vagin denté. En Amérique du Sud, la grande Genèse guarani recueillie par Leon Cadogan relate, entre autres événements, que le Démiurge transforma une hotte en femme qu'il adopta. Il la donna en mariage à l'ogre Charia. Celui-ci l'emmena à son village, mais en route il coucha avec elle, ce qui mit son pénis en lambeaux. Charia battit la femme, elle se retransforma incontinent en hotte. Bien que le texte ne le dise pas expressément, on peut inférer que, comme la Dame-Panier nord-américaine, elle avait un vagin denté. Une version guayaki de la Genèse guarani, que Clastres, qui l'a recueillie, tient lui-même pour douteuse, raconte que Soleil, sauvé par l'ogre d'un piège où il s'était pris, tressa une hotte et la transforma en femme dont il fit don à l'ogre, non sans lui recommander de ne pas l'emmener trop souvent au bain. L'ogre négligea le conseil, la femme disparut dans l'eau et émergea plus loin, redevenue hotte.

De ce récit, Clastres infère que les Guayaki voient dans la hotte une métonymie de la femme. C'est un peu court, car, dans un mythe des Tupi amazoniens, proches cousins des Guarani, on assiste à la transformation d'un panier en jaguar (dont le pelage tacheté, qui évoque les mailles d'un panier, ne fournit pas non plus une explication suffisante), et le jaguar est une créature homicide, comme une femme au vagin denté.

La version guayaki suspecte aurait d'ailleurs une contre-partie mieux explicite chez les Pomo de la Californie auxquels j'ai plusieurs fois eu recours. La première hotte, finement décorée, fut jetée dans un lac par Grenouille avant qu'elle ne l'eût terminée. La hotte devint un démon qui frappe de maladie toute femme indisposée qui, passant par là, le verrait. Ainsi, d'un bout à l'autre du Nouveau Monde, on repère plusieurs états d'une transformation. Une Dame-Panier, qui ensanglante le sexe des hommes, et les rend malades de ce fait, devient un Sire-Panier, qui rend malades les femmes au sexe (déjà) ensanglanté. Et, aussi bien au Paraguay qu'en Californie, un panier incomplètement métamorphosé (soit en femme par un homme, soit par une femme en ouvrage achevé) ne doit pas être mis dans l'eau alors qu'au moins en Californie pouvoir mettre de l'eau dans un panier prouve qu'il est bien fait.

Comme ceux d'Amérique du Nord, les mythes sud-américains connaissent des peuples de paniers mal intentionnés. En Bolivie, les Indiens Tacana racontent que les paniers, indignés par le manque d'égards des humains qui les jetaient aux animaux ou bien au feu quand ils étaient hors d'usage, se débarrassèrent de leurs charges et s'enfuirent dans la forêt. Les hommes ne savaient plus où mettre leurs affaires ; les provisions traînaient par terre. Émus par ce désordre, les paniers revinrent au village.

Tous ces mythes ont évidemment une parenté avec celui des objets révoltés contre leurs maîtres, d'ailleurs présent chez les Tacana, et dont on connaît des formes anciennes chez les Maya et dans les Andes. Toutefois les objets révoltés sont, en général, rigides et durs : poteries, meules, mortiers et pilons en pierre (dans d'autres versions chiens et bêtes de basse-cour ; parfois animaux sauvages), qui reprochent aux humains leur cruauté. Ils se coalisent et les exterminent. Dans le *Popol Vuh*, livre sacré des Maya, c'est la fin de la première création : une nouvelle humanité devra naître. Mieux inspirés, les derniers tailleurs et polisseurs d'outils de pierre qu'on put observer en Nouvelle-Guinée compatissaient au sort de leurs haches quand, usées ou brisées, elles refusaient tout service pour abattre les arbres dans la forêt. Ils ne les abandonnaient pas sur place et les rapportaient au village où elles jouissaient d'une retraite méritée. Il est en revanche frappant que les mythes sur la vannerie soulignent la mollesse et le peu de durabilité des paniers. Pour les Tacana, le maître surnaturel de la vannerie a le corps fait d'un panier de feuilles vertes, c'est-à-dire d'une sorte qui ne peut guère servir plus d'une fois.

Un peu partout dans le Nouveau Monde, on tient les paniers pour des objets particulièrement sensibles. Ils viennent de la nature, et, après avoir reçu leur statut culturel d'un travail artisanal parfois sommaire, ils sont voués à y retourner. Plus ou moins grande, leur fragilité s'aggrave du fait qu'on ne peut utiliser sous une autre forme la vannerie abîmée. Mais les mettre au rebut reste un geste lourd de signification : même hors d'usage ils conservent quelque chose de leur dignité culturelle ; elle inspire confusément le respect, on hésite à maltraiter ce qui reste d'objets naguère intimement liés à la personne de leur utilisateur. Des paniers souples, portés sur le dos, employés pour la collecte encore récemment par les Kalapuya (groupe linguistique isolé, au sud de l'estuaire du Columbia), un informateur indigène disait :

« *C'est une chose que les femmes avaient constamment avec elles.* »

Comme les paniers qui ont fait leur temps, les cadavres sont des restes que leur âme ou leurs âmes (ou pour les paniers, leur esprit) répugnent à quitter. En Amérique existe d'ailleurs, pour les paniers, un équivalent ou presque de l'inhumation : quand meurt l'esprit du panier, disent les Pomo, il reste en terre pendant quatre jours et monte au ciel seulement après.

Des croyances japonaises vont à l'opposé. Les ustensiles abandonnés se changent bien en esprits surnaturels, mais il convient de brûler ces vieilles choses, ou en tout cas de s'en débarrasser. Un voyageur, qui avait cherché abri dans un temple désaffecté, assista pendant la nuit à la danse d'un vieux van, d'un carré de tissu (*furoshiki* : servant à transporter les paquets), d'un vieux tambour : « *Voilà ce qui arrive quand on oublie de jeter les vieilleries.* » Entre hier et aujourd'hui, entre aujourd'hui et demain il faut tracer une frontière, comme cette dame japonaise qu'on m'a citée (mais le cas n'est probablement pas exceptionnel) qui faisait tous les jours la lessive par crainte, si elle mourait subitement, de laisser du linge sale derrière elle.

Nous sommes toujours placés devant ce choix : rompre avec le passé, même récent ; ou conserver – mais jusqu'à quand ? – des vieux habits, des vieilles choses qui tinrent une place dans notre existence et sont pour nous comme des amis défunts. Baudelaire :

> *O mes bottes ! rentrez au fond de cette armoire*
> *Qui va vous servir de cercueil.*

XXIV

Dans les tribus des Plaines de l'Amérique du Nord, les hommes peignaient des scènes figuratives ou des décors abstraits sur des cuirs de bison et d'autres supports. Aux femmes revenait l'art de la broderie en piquants de porc-épic. Aplatir, assouplir, teindre des piquants de longueurs et de résistances différentes ; les plier, nouer, tresser, entrelacer, coudre, constituait une technique difficile qui exigeait des années d'apprentissage. Les piquants acérés pouvaient causer des blessures, et même, en sautant dans les yeux comme des petits ressorts, la cécité.

Purement décoratives en apparence, ces broderies de style géométrique étaient chargées de sens. La brodeuse avait longuement médité leur contenu et leur forme, ou bien elle les tenait d'un rêve ou d'une vision procurés par une divinité à double face, mère des arts. Quand la déesse avait inspiré un motif à une femme, ses compagnes pouvaient le copier et il tombait dans le répertoire tribal. Mais la créatrice elle-même restait un personnage d'exception.

« *Quand une femme a rêvé de la Double Dame* », racontait il y a près d'un siècle un vieil Indien, « *désormais et quoi qu'elle entreprenne, personne ne peut plus rivaliser avec elle. Mais cette*

168

femme se conduit en folle achevée. Elle rit impulsivement, agit de façon imprévisible. Elle rend possédés les hommes qui l'approchent. C'est pourquoi on appelle ces femmes des doubles dames . Elles couchent aussi avec n'importe qui. Mais, dans tous les travaux, personne ne les surpasse. Ce sont de grandes brodeuses de piquants de porc-épic, art où elles sont devenues très habiles. Elles font aussi des travaux masculins. »

Cet étonnant portrait de l'artiste génial laisse loin derrière lui l'imagerie romantique, et, plus tard dans le siècle, le cliché du poète ou du peintre maudit, avec tous ses développements pseudo-philosophiques sur les rapports de l'art et de la folie. Là où nous parlons au sens figuré, les peuples sans écriture s'expriment au sens propre. Il suffit de transposer pour que nous les reconnaissions moins éloignés de nous, ou bien nous plus près d'eux.

Dans l'ouest du Canada, sur la côte du Pacifique, les peintres et les sculpteurs formaient chez les Tsimshian une catégorie séparée. Le nom collectif par lequel on les désignait évoquait le mystère dont ils étaient entourés. L'homme, la femme, l'enfant même, qui les aurait surpris dans leur travail, aurait été aussitôt mis à mort. On connaît des cas attestés. Dans ces sociétés fortement hiérarchisées, la dignité d'artiste était héréditaire parmi les nobles, mais on pouvait aussi l'octroyer à l'homme du commun dont on avait reconnu les dons. Noble ou roturier, le novice subissait des épreuves initiatiques très longues et très sévères. Il fallait que le titulaire actuel projetât son don magique dans le corps de son successeur. Celui-ci, ravi par l'esprit protecteur de l'artiste, disparaissait dans les cieux. En réalité, il demeurait pendant un certain temps caché dans la forêt, avant de réapparaître en public, investi de ses nouveaux pouvoirs.

Car les masques simples ou articulés, que les artistes

169

avaient seuls le droit et le talent de fabriquer, étaient des entités redoutables. Selon le témoignage d'un Indien lettré, au début de ce siècle un esprit surnaturel nommé Paroles-Bouillantes « *avait le corps comme celui d'un chien. Le chef de la tribu ne portait pas son masque sur le visage ou sur la tête, parce que le masque avait son propre corps, et on le tenait pour un objet très terrible. Il était difficile de faire résonner son sifflet, personne ne sait plus maintenant. On ne soufflait pas avec la bouche, il fallait appuyer le doigt sur un certain endroit. De cet être, on savait seulement qu'il habitait un rocher dans la montagne. Il existait un chant propre au masque, mais on tenait le masque lui-même caché. Seuls les enfants du chef principal, et ceux du chef d'une tribu voisine, le connaissaient. Effrayante, même pour eux, était la voix de Paroles-Bouillantes ; les gens du commun en étaient absolument terrifiés. Les princes et les princesses s'enorgueillissaient qu'on leur permît de toucher le masque. Obtenir le droit de l'exhiber coûtait très cher.* »

Les artistes avaient aussi la charge de décorer la façade des maisons et les cloisons mobiles à l'intérieur, de sculpter les poteaux et les mâts emblématiques, de fabriquer les instruments rituels et les objets de parade. Surtout, il leur incombait de concevoir, exécuter et manœuvrer les machines qui, dans cette région de l'Amérique, donnaient aux cérémonies sociales et religieuses l'allure de représentations à grand spectacle. Elles se déroulaient en plein air ou dans les vastes demeures formées d'une salle unique où logeaient plusieurs familles, et qui pouvaient accueillir une foule d'invités.

Un récit indigène, qui remonte au siècle dernier, décrit une séance au cours de laquelle le foyer au milieu de la salle fut soudain noyé, comme à la fin du *Crépuscule des dieux*, par une eau montée des profondeurs. Un cétacé grandeur nature surgit et s'ébroua, lançant des jets par ses évents. Puis il plongea, l'eau disparut, et, sur le sol redevenu sec, on ralluma le foyer.

Aux inventeurs et réalisateurs de ces prodigieuses machines, on ne passait aucune maladresse. Boas publia en 1895 le récit d'une cérémonie dont le clou, si j'ose dire, devait être le retour parmi les siens d'un homme censé avoir vécu au fond des mers. Les spectateurs massés sur la grève virent émerger un rocher qui s'ouvrit en deux et d'où l'homme sortit. Des machinistes cachés dans un bois manœuvraient de loin l'engin avec des cordes. Ils réussirent deux fois (car on voulait des bis). A la troisième, les cordes s'emmêlèrent, le rocher artificiel sombra et l'homme avec. Imperturbable, sa famille proclama qu'il avait décidé de demeurer au fond de l'océan, et la fête continua comme prévu. Mais, après le départ des invités, les parents du défunt et les auteurs du désastre s'attachèrent ensemble et, du haut de la falaise, ils se jetèrent dans la mer.

On raconte aussi que, pour mettre en scène le retour sur terre d'une initiée, les artistes avaient construit avec des peaux de phoque une baleine actionnée à l'aide de cordes. Pour plus de réalisme, ils firent bouillir à l'intérieur de l'eau en y plongeant des pierres brûlantes, afin que la vapeur sortît par les évents. Une pierre tomba à côté, brûla un trou dans la peau et la baleine coula. Les organisateurs de la cérémonie et les auteurs de la machine se suicidèrent, sachant qu'ils seraient mis à mort par les gardiens de ces mystères.

Ces récits proviennent des Indiens Tsimshian, qui vivent sur la côte septentrionale de la Colombie britannique. Leurs voisins Haida des îles de la reine Charlotte, juste en face, parlent dans leurs mythes de villages sis au fond des mers ou au cœur des forêts, habités par un peuple d'artistes. A la faveur d'une rencontre, les Indiens apprirent d'eux à peindre et à sculpter. Ces mythes attribuent donc aussi aux beaux-arts une origine surnaturelle.

Pourtant, dans les cérémonies dont j'ai cité quelques exemples, tout est artifice : depuis la séance solennelle où l'initiateur prétend (et, jusqu'à un certain point, le croit-il ?) être pénétré par un esprit surnaturel qu'il extrait de son corps et projette violemment dans celui du novice blotti sous une natte, tandis qu'on entend le sifflet, emblème sonore dudit esprit ; jusqu'à la fabrication des masques et des automates en qui se manifeste la présence active d'autres esprits ; jusqu'aux grands spectacles, enfin, comme ceux que décrivirent quelques derniers témoins.

C'est l'émotion esthétique provoquée par un spectacle réussi qui valide rétroactivement la croyance en son origine surnaturelle ; même, il faut l'admettre, dans la pensée des créateurs et des acteurs pour qui — conscients qu'ils étaient de leurs trucs — le lien ne pouvait avoir qu'une existence au mieux hypothétique : « Cela était donc vrai puisque en dépit des difficultés que nous nous sommes ingéniés à introduire, cela a tout de même réussi. » A l'inverse, un spectacle raté, trahissant la supercherie, risquait de ruiner la conviction qu'entre le monde humain et le monde surnaturel il n'existait pas de coupure. Conviction impérieuse, car, dans ces sociétés hiérarchisées, le pouvoir des nobles, la subordination des gens du commun, la sujétion des esclaves recevaient leur sanction de l'ordre surnaturel, dont tout l'ordre social dépendait.

Nous n'infligeons pas la mort physique (économique et sociale peut-être ?) aux artistes que nous trouvons sans talent parce qu'ils ne nous élèvent pas au-dessus de nous-mêmes. Mais n'établissons-nous pas toujours un lien entre l'art et le surnaturel ? C'est le sens étymologique du mot enthousiasme par lequel nous traduisons volontiers l'émotion ressentie devant les grandes œuvres. On parlait naguère du « divin » Raphaël, et l'anglais dispose, dans son vocabulaire esthétique, de l'expression *out of this world*. Dans ce cas aussi, il suffit de convertir du propre au figuré des croyances et des pratiques qui nous heurtent ou nous déconcertent, pour leur reconnaître un air de familiarité avec les nôtres.

Dans cette région de l'Amérique la condition de l'artiste a une connotation inquiétante sinon sinistre : placé très haut dans l'échelle sociale certes, mais voué à tromper, contraint au suicide ou assassiné s'il échoue. Pourtant, des mythes de la même région font de l'artiste un portrait poétique et plein de charme.

Voisins immédiats des Tsimshian, les Tlingit de l'Alaska racontent qu'un jeune chef des îles de la reine Charlotte, territoire haida, aimait tendrement sa femme. Elle tomba malade et, malgré tous les soins, elle mourut. Le mari inconsolable courut de droite et de gauche pour trouver un sculpteur capable de reproduire les traits de la défunte : vainement. Or, dans le même village habitait un sculpteur réputé. Il rencontra un jour le veuf et lui dit : « *Tu vas de village en village et tu ne trouves personne pour faire une effigie de ta femme, n'est-ce pas ? Je l'ai souvent vue quand vous vous promeniez ensemble, sans jamais étudier son visage dans l'idée qu'un jour tu voudrais la faire représenter ; mais, si tu le permets, j'essaierai.* »

Le sculpteur se procura une bille de thuya et se mit au travail. Son œuvre achevée, il la revêtit des habits de la morte et convoqua le mari. Plein de joie, celui-ci emporta la statue et demanda au sculpteur combien il lui devait : « *Ce que tu voudras*, répondit l'autre, *mais c'est par compassion envers toi que j'ai agi, donc ne me donne pas trop.* » Le jeune chef paya néanmoins richement le sculpteur, tant en esclaves qu'en autres biens.

L'artiste si célèbre que même un notable n'ose le solliciter ; qui croit qu'il est bon, avant d'entreprendre un portrait, d'avoir pu étudier la physionomie du modèle ; qui n'accepte pas qu'on le regarde travailler ; dont les œuvres valent très cher ; et qui, à l'occasion, se montre humain et désintéressé : voilà, n'est-il pas vrai, le portrait idéal d'un grand peintre ou sculpteur, même contemporain ? Nous souhaiterions volontiers tous les nôtres pareils.

Le jeune chef, poursuit le mythe, traitait la statue comme un être vivant. Un jour, il eut même l'impression qu'elle bougeait. Les visiteurs s'extasiaient sur la ressemblance. Avec le temps, la statue parut devenir toute pareille à une femme humaine (on devine la suite). De fait, un peu plus tard, la statue émit un bruit comme un craquement de bois. On la souleva, et on découvrit un petit arbre qui poussait en-dessous. On le laissa grandir, et c'est pourquoi les thuyas des îles de la reine Charlotte sont si beaux. Quand on va chercher un bel arbre et qu'on le trouve, on dit : « *Il est beau comme le bébé de la femme du chef.* » Quant à la statue, elle remuait à peine, et on ne l'entendit jamais parler ; mais son mari savait par ses rêves qu'elle s'adressait à lui, et il comprenait ce qu'elle lui disait.

Les Tsimshian (auxquels les Tlingit, admirateurs de leur art, passaient souvent des commandes) racontent l'histoire autrement. Le veuf sculpte lui-même une statue de la défunte. Il la traite comme si elle était vivante, feint de converser avec elle en faisant les questions et les réponses. Deux sœurs s'introduisent un jour dans la cabane, se cachent, voient l'homme embrasser et étreindre la statue de bois. Cela les fait rire, l'homme les découvre et les invite à dîner. La cadette mange avec discrétion, l'aînée s'empiffre. Plus tard, pendant qu'elle dort, elle est prise de colique et se souille. La cadette et le veuf décident de se marier et s'engagent l'un envers l'autre : il brûlera la statue et taira la honte de l'aînée ; et elle ne racontera à personne « *ce qu'il faisait avec la statue de bois* ».

Le parallélisme entre l'abus (quantitatif) de nourriture et l'abus (qualitatif) d'appétit sexuel est frappant, car il s'agit dans les deux cas d'un abus de communication : manger à l'excès, copuler avec une statue comme si c'était un être humain sont, dans des registres distincts, des conduites d'autant mieux comparables que les langues du monde (y compris, sur le mode métaphorique, la nôtre) usent souvent des mêmes mots pour dire « manger » et « copuler ».

Toutefois, le mythe tlingit et le mythe tsimshian ne traitent pas leur thème commun de la même façon. Le second désapprouve qu'on puisse confondre un être humain et une statue de bois. Il est vrai que celle-ci était l'œuvre d'un amateur, et j'ai dit de quel mystère les peintres et sculpteurs tsimshian, ces grands professionnels, entouraient leur pratique. Faire prendre l'art pour la vie était tout à la fois leur privilège et leur obligation. Et comme cette illusion créée par l'œuvre d'art avait pour fin d'attester le lien entre l'ordre social et l'ordre surnaturel, on aurait mal vu qu'un individu ordinaire la détournât à des fins sentimentales et particulières. Aux yeux de l'opinion publique incarnée par les deux sœurs, la conduite du veuf épris d'un simulacre devait paraître scandaleuse, ou à tout le moins ridicule.

De l'œuvre d'art, le mythe tlingit se fait une idée différente. La conduite du veuf ne choque pas : on se presse chez lui pour admirer le chef-d'œuvre. Mais la statue a pour auteur un grand maître, et (malgré ou à cause de cela) elle reste à mi-chemin entre la vie et l'art. Le végétal n'engendre que le végétal, une femme de bois ne peut accoucher que d'un arbre. De l'art, le mythe tlingit fait un règne autonome : l'œuvre s'établit en deçà et au-delà des intentions de son auteur. Celui-ci en perd le contrôle sitôt qu'il l'a créée, et elle se développera selon sa nature propre. Autrement dit, la seule façon pour l'œuvre d'art de se perpétuer est de donner naissance à d'autres œuvres d'art qui, aux contemporains, paraîtront plus vivantes que celles qui les ont immédiatement précédées.

Vues à l'échelle des millénaires, les passions humaines se confondent. Le temps n'ajoute ni ne retire rien aux amours et aux haines éprouvés par les hommes, à leurs engagements, à leurs luttes et à leurs espoirs : jadis et aujourd'hui, ce sont toujours les mêmes. Supprimer au hasard dix ou vingt siècles d'histoire n'affecterait pas de façon sensible notre connaissance de la nature humaine. La seule perte irremplaçable serait celle des œuvres d'art que ces siècles auraient vu naître. Car les hommes ne diffèrent, et même n'existent, que par leurs œuvres. Comme la statue de bois qui accoucha d'un arbre, elles seules apportent l'évidence qu'au cours des temps, parmi les hommes, quelque chose s'est réellement passé.

INDEX DES NOMS

OUVRAGES CITÉS

I

Proust, M., *A l'ombre des jeunes filles en fleurs*, deuxième partie : « Noms de pays : le pays » ; *Le Temps retrouvé*, Paris, Pléiade, 1954, p. 882, 900, 1033 sq. Curtis, J.-L., *Lectures en liberté*, Paris, Flammarion, 1991, p. 86.

II

Schapiro, M., « Seurat and La Grande Jatte », *Columbia Review*, 1935, Diderot, D., « Essais sur la peinture », in *Œuvres esthétiques*, Paris, Garnier, 1959, p. 719, 825. Champaigne, Ph. de, cité par J. Thuillier, « Pour un Corpus pussinianum », in *Actes du Colloque international Nicolas Poussin*, Paris, 1960, p. 159. Delacroix, E., *Journal*, 23 sept. 1854, 27 avr. 1853, 28 avr. 1853, 16 juin 1851, 1er nov. 1852, 6 juin 1851, 11 mai 1847, 27 fév. 1850, Paris, Plon, 1932. Coypel, A., « L'esthétique du peintre », in *Conférences de l'Académie royale de Peinture et de Sculpture*, publiées par H. Join, Paris, Quantin, 1883, p. 315. Ingres, J.A.D., « Notes et pensées », in H. Delaborde, *Ingres, sa vie, ses travaux, sa doctrine d'après les notes manuscrites et les lettres du maître*, Paris, Plon, 1870, p. 136. Félibien, A., *Journal*, cité par J. Thuillier, *op. cit.*, p. 80 ; *Entretiens sur la vie et les ouvrages des plus excellens peintres anciens et modernes*, Nelle édition revue et corrigée, Trévoux, imprimerie du S.A.S., 6 tomes, 1725, tome IV, Huitième Entretien ; « Vie de Poussin », in *Lettres de Nicolas Poussin*, etc., Paris, Wittmann, 1945, p. 13-14. Blunt, A., *Nicolas Poussin, I, Text ; II, Plates* (A.W. Mellon Lectures in the Fine Arts), Washington, D.C., 1967, I, p. 242-244.

III

Panofsky, E., « *Et in Arcadia Ego :* On the Conception of Transience in Poussin and Watteau », in *Philosophy and History. Essays Presented to Ernst Cassirer*, Oxford, Clarendon Press, 1936 ; republié in *Meaning in the Visual Arts*, Garden City, N.Y., Doubleday Anchor Books, 1955.

Diderot, D., *Œuvres complètes*, publ. par J. Assézat, Paris, 1875-1877, VII, p. 353. Jaucourt, chevalier de, art. « Paysagiste » in *Encyclopédie*.

IV

Félibien, A., *Entretiens, op. cit.*, p. 90-115. Champaigne, Ph. de, in *Conférences de l'Académie*, etc., *op. cit.*, p. 91. Reynolds, sir J., *Discours sur la peinture*, etc., trad. par L. Dimier, Paris, Laurens, 1909, p. 162. Le Brun, Ch., cité par A. Fontaine, *Les Doctrines d'art en France. Peintres, amateurs, critiques de Poussin à Diderot*, Paris, Laurens, 1909, p. 82. Piles, R. de, *Conversations sur la connoissance de la peinture*, etc., A Paris chez Nicolas Langlois, 1677, p. 260.

V

Conférences de l'Académie, etc., *op. cit.*, p. 90-97. Yoe, M.R., « Catlin's Indians », *Johns Hopkins Magazine*, June 1983, p. 29. Diderot, D., *Salon de 1763* (voir sous XI). Goncourt, E. & J. de, « Chardin », *Gazette des Beaux-Arts,* 1863-1864. Pascal, Bl., *Pensées*, II, p. 150. Seznec, J., « John Martin en France », *All Souls Studies IV*, London, Faber & Faber, 1964, p. 48-49. Plutarque, « Propos de Table », in *Les Œuvres meslées*, trad. Amyot, Paris, 1584, II, p. 119. Chabanon, M.P.G. de, *De la Musique* (voir sous XIV), p. 50. Rousseau, J.-J., *Lettre sur la musique française*. Morellet, abbé A., *Mélanges de littérature et de philosophie*, 4 vol., Paris, 1818, IV, p. 395.

VI

Ingres, J.A.D., « Notes et pensées », *op. cit.*, p. 162, 136, 132, 159, 133, 150, 115, 129, 153. Delacroix, E., *Journal*, 13 janv. 1857, 17 oct. 1853. Félibien, A., *Entretiens, op. cit.*, III, p. 194 ; IV, p. 13, 113, 155-156. Diderot, D., « Essais sur la peinture », *op. cit.*, p. 834. Blanc, Ch., *Les Artistes de mon temps*, Paris, Firmin Didot, 1876, p. 23-24, 72. Delacroix, E., cité in E. Amaury-Duval, *L'Atelier d'Ingres*, publ. par Élie Faure, 3ᵉ éd., Paris, Crès, 1924, p. 12, 241. Menpes, M., « A Lesson from Khiosi », *The Magazine of Art*, April 1888. Riegl, A., *Grammaire historique des arts plastiques*, Paris, Klincksieck, 1978, p. 109.

VII

Balzac, H. de, *Beatrix*. Chabanon, M.P.G. de, *De la Musique* (voir sous XIV), p. 369. Wagner, R., *Lettres de ... à ses amis*, trad. G. Khnopff, Paris, Félix Juven, s.d., n° LV (à Th. Uhlig). Amaury-Duval, E., *L'Atelier d'Ingres, op. cit.*, p. 47. Wagner, Cosima, *Journal*, 4 vol., Paris, Gallimard, 1976, IV, p. 404 n. Wind, E., *Art et anarchie*, Paris, Gallimard, 1988, p. 34. Newton, I., *Traité d'Optique*, etc., trad. Coste, 2ᵉ éd. française, Paris, Montalant, 1722, p. 241, 335-336, 449, 513.

VIII

Adam, A., « Rameau », *Revue contemporaine*, 15 oct. 1852 ; *Derniers Souvenirs d'un musicien*, Paris, Michel Lévy frères, 1859, p. 61-62. Masson, P.-M., *L'Opéra de Rameau*, Paris, Henri Laurens, 1930, p. 491. [Anonyme], *Réponse à la Critique de l'opéra de* Castor *et observations sur la musique*, Paris, 1773, p. 43-44, 38-39, 45. Rameau, J.-Ph., *Œuvres complètes*, publiées sous la direction de C. Saint-Saëns, Paris, Durand, vol. VIII, p. 1903. Lajarte, Th. de, *Castor et Pollux*, partition pour piano et chant, Paris, Th. Michelis, s.d., p. 3. Rameau, J.-Ph., *Castor et Pollux*, Bibliothèque nationale, Vm2 331 & 334.

IX

Adam, A. *Derniers Souvenirs*, etc., *op. cit.*, p. 61. [Anonyme], *Mercure de France*, juillet 1782, p. 42-43, 45. [Chabanon], « Sur la Musique, à l'occasion de Castor », *Mercure de France*, avril 1772, p. 165-167. Chabanon, M.P.G. de, *Éloge de M. Rameau*, Paris, Lambert, 1764, p. 36 ; *De la Musique*, etc. (voir sous XIV), p. 116, 192. Rameau, J.-Ph., *Code de Musique pratique*, etc., Paris, Imprimerie Royale, 1760, p. 168. Berlioz, H., « De Rameau et de quelques-uns de ses ouvrages », *Revue et Gazette musicale*, 1842, p. 442. Masson, P.-M., *L'Opéra de Rameau, op. cit.*, p. 218, 255, 443, 480-481.

X

Diderot, D., « Essais sur la peinture », in *Œuvres esthétiques*, Paris,

Garnier, 1959, p. 718, 765. Wind, E., *Pagan Mysteries in the Renaissance*, Penguin Books, 1967, p. 113-127. Rousseau, J.-J., *Essai sur l'Origine des Langues*, ch. XIII, XVI. Starobinski, J., « Présentation », in *ibid.*, coll. Folio, Paris, Gallimard, 1990, p. 43. Batteux, abbé Ch., *Les Beaux-Arts réduits à un même principe*, A Paris Chez Durand, 1746, p. 260, 263, 269. Rousseau, J.-J., « De l'Imitation théâtrale. Essai tiré des dialogues de Platon », in *Œuvres complètes*, Paris, Desiez, 1837, II, p. 183-191. Ingres, J.A.D., « Notes et pensées », *op. cit.*, p. 123.

XI

Poussin, N., « Lettre à Jacques Stella » in Félibien, *Entretiens, loc. cit.* Le Brun, Ch., « Discours sur *La Manne* », in *Conférences de l'Académie*, etc., *op. cit.*, p. 61-62. Félibien, A., *Entretiens, loc. cit.*, p. 139-141. Diderot, D., art. « Composition », *Encyclopédie* ; *Salons*. Texte établi & présenté par J. Seznec & J. Adhémar, 4 vol., Oxford, Clarendon Press, 1957-1967 : Salons de 1759, 1763, 1767 ; « Éloge de Richardson » in *Œuvres esthétiques, op. cit.*, p. 30-31.

XII

Diderot, D., art. « Beau » in *Encyclopédie ; Lettre sur les sourds et muets*, édition commentée & présentée par P.-H. Meyer *(Diderot Studies VII)*, Genève, Droz, 1965, p. 70-89, 101, 163, 212. Gilman, M., *Imagination and Creation in Diderot (Diderot Studies II)*, Genève, Droz, 1952, p. 214. Batteux, Ch., *Les Beaux-Arts,* etc., *op. cit.*, p. 169-173, 94. Poussin, N., *Lettres et propos sur l'art*, Textes réunis & présentés par Anthony Blunt, 2e éd., Paris, Hermann, 1989, p. 45.

XIII

Kant, E., *Critique de la faculté de juger*, livre II. Mandelbrot, B., *Fractals : Form, Chance, and Dimension*, San Francisco, W.-H. Freeman & Co, 1977. Duval, P.M., *Les Celtes* (L'Univers des Formes), Paris, Gallimard, 1977. Balzac, H. de, *Gambara*. Rosen, Ch., *Le Style classique*, Paris, Gallimard, 1978, p. 521, 551. Dewdney, A.K., « Wallpaper for the Mind », *Scientific American*, vol. 255, n° 3, September 1986.

XIV

Jakobson, R., *Questions de poétique*, Paris, Seuil, 1973, p. 102-104. Rousseau, J.-J., *Dictionnaire de musique*, art. « Harmonie » ; *Essai sur l'Origine des Langues*, ch. XIV. Batteux, Ch., *Les Beaux-Arts*, etc., *op. cit.,* p. 281. Helmoltz, H. von, *Théorie physiologique de la musique*, Paris, Gabay, 1990, p. 406. Tamba, A., « Le concept japonais de création », *Traverses*, 38-39, novembre 1986, p. 232. Lord, A.B., *The Singer of Tales*, Harvard Univ. Press, 1960, p. 30. Michotte, E., *Souvenirs personnels. La Visite de Wagner à Rossini*, Paris, Fischbacher, 1860. Chabanon, M.P.G. de, *De la Musique considérée en elle-même et dans ses rapports avec la parole, les langues, la poésie et le théâtre*, Paris, Pissot, 1785, p. 158, 50-53, 56-60, 355. Morellet, A., « De l'Expression en Musique », *Mercure de France*, novembre 1771, p. 123. Chabanon, *Éloge de M. Rameau, op. cit.*, p. 16.

XV

Chabanon, M.P.G. de, *De la Musique*, etc., *op. cit.*, p. 27, 166, 135, 168, 73, 115-116, 65, 207-209, 201-202, 213-214, 400, 407, 442-443, 30-33, 49, 193, 29, 38, 169, 171, 348, 28 ; *Éloge, op. cit.*, p. 22-23, 38, 45-48. Rousseau, J.-J., *Lettre sur la Musique française*. Sherlock, M., *Nouvelles Lettres d'un voyageur anglais*, Londres et Paris, 1780, p. 161-207. Batteux, Ch., « Traité de la construction oratoire » in *Principes de la Littérature*, Paris, 1774, tome V, seconde partie, ch. I et II.

XVI

Chabanon, *De la Musique*, etc., *op. cit.*, p. 371, 73, 447-450, 84, 456, 459, 133, 393, 3. Rousseau, J.-J., art. « Musique » in *Encyclopédie*. Lévi-Strauss, C., *Le Cru et le cuit*, Paris, Plon, 1964, p. 27-30. Marmontel, J.-F., art. « Arts libéraux » in *Supplément à l'Encyclopédie*, t. I, Amsterdam, Rey, 1776 ; *Mémoires d'un père pour servir à l'instruction de ses enfans*, 4 vol., in *Œuvres posthumes*, Paris, 1804. Chabanon, M.P.G. de, *Observations sur la Musique et principalement sur la métaphysique de l'Art*, Paris, 1772.

XVII

Chabanon, M.P.G. de, *Éloge, op. cit.*, p. 54, 32, 34 ; *De la Musique*, etc., *op. cit.*, p. 92-93, 359, 236, 95-96, 98-99, 101, 296-298, 291-293, 235-237, 301, 184, 2-3.

XVIII

Leiris, M., *Operratiques*, Paris, P.O.L., 1992, p. 110, 117-119, 51, 135, 47, 105-106, 131, 57, 190 ; *Journal 1922-1989*, Paris, Gallimard, 1992, p. 485-487. Lévi-Strauss, C., *Le Cru et le cuit, op. cit.*, p. 22-26 ; « De Chrétien de Troyes à Richard Wagner » in *Le Regard éloigné*, Paris, Plon, 1983, ch. XVII. Chabanon, *De la Musique*, etc., *op. cit.*, p. 305, 263, 266, 268-269, 192, 270-272, 277, 283, 261, 287, 304, 363, 36, 46, 308-313, 334n. ; *Éloge, op. cit.*, p. 22. La Bruyère, J. de, *Les Caractères*, ch. I. Batteux, Ch., *Les Beaux-Arts*, etc., *op. cit.*, p. 211. Wagner, R., *Lettres de ... à ses amis, op. cit.*, XXIV, XXV (à F. Heine). Hannetaire, D', *Réflexions sur l'Art du Comédien*, 4ᵉ éd., 1776, p. 27. Lévi-Strauss, C., *L'Homme nu*, Paris, Plon, 1971, p. 583-584, 589-590.

XIX

Castel, R.B., *L'Optique des couleurs*, A Paris chez Briasson, 1740, p. 302, 305, 314, 105, 431, 118, 46-57, 210-211, 446, 156-158 ; *Description de l'orgue ou du clavecin oculaire [...] par le célèbre M. Tellemann, Musicien, ibid.*, p. 473-487. Parra, F., « Les bases physiologiques de la vision des couleurs », *in* S. Tornay, éd., *Voir et nommer les couleurs*, Nanterre, Laboratoire d'ethnologie et de sociologie comparative, 1978. Albright, Th. D., « Color and the integration of motion signals », *Trends in Neuroscience*, vol. 14, n° 7, 1991. Diderot, D., *Les Bijoux indiscrets*, ch. XIX. Rimbaud, A., *Œuvres complètes*, Pléiade, 1954. Jakobson, R., (with Linda Waugh), *The Sound Shape of Language*, Bloomington, Indiana University Press, 1979, p. 193. Clavière, J., « L'audition colorée », *Année Psychologique 5*, 1899, p. 171-172. Valéry, P., « Triomphe de Manet » in *Manet, Paris, Orangerie*, 1932 : XIV-XVI. Rimbaud, A., *Œuvres complètes : Being Beauteous, Les Mains de Marie-Jeanne, Les Premières Communions, Mes Petites Amoureuses, Michel et Christine*. Baudelaire, Ch., *Œuvres complètes*, Pléiade, 1961 : *Salon de 1846, L'Idéal*,

Le Possédé, Harmonie du Soir. Jakobson, R. (with J. Lotz), « Notes on the French Phonemic Pattern », in *Selected Writings*, vol. I, 'S-Gravenhage, Mouton, 1962, p. 431 ; *The Sound Shape*, etc., *op. cit.*, p. 151-152. Gautier, Th., « Haschich », *La Presse*, 10 juillet 1843. Mac Laury, R.E., « From Brightness to Hue : An Explanatory Model of Color-Category Evolution », *Current Anthropology*, vol. 33, n° 2, April 1992. Rimbaud, A., *Œuvres complètes, op. cit.* : *Ce qu'on dit au poète, Derniers vers, L'Éclatante Victoire de Sarrebrück, Mes Petites Amoureuses, l'Orgie parisienne, Le Bateau Ivre*. Castel, R.B., *L'Optique des couleurs, op. cit.*, p. 135, 270, 400. Albright, Th.D., « Color and the Integration, etc. », *op. cit.*, p. 267n. Chabanon, *De la Musique*, etc., *op. cit.*, p. 215. Jakobson, R., *The Sound Shape*, etc., *op. cit.*, p. 133.

XX

Lévi-Strauss, C., *Tristes Tropiques*, Paris, Plon, 1955, p. 22-23.

XXI

Lévi-Strauss, C., *L'Homme nu, op. cit.*, p. 621. Gobineau, A. de, *Essai sur l'inégalité des races humaines* (rééd.), Paris, Belfond, 1967, p. 872-873.

XXII

Boas, F., « Decorative Designs of Alaskan Needle-cases, etc. », *Proceedings of the U.S. National Museum*, vol. 34, 1908 ; republié in *Race, Language and Culture*, New York, Macmillan, 1940, p. 588-589. Demetracopoulou Lee, D., citée par C. Lévi-Strauss, *Anthropologie structurale*, Paris, Plon, 1958, p. 197-198. Walker, J.R., « The Sun Dance and other Ceremonies of the Oglala Division of the Teton Dakota », *Anthropological Papers of the American Museum of Natural History*, vol. XVI, part. II, 1917, p. 194-195. Kant, E., *Critique de la faculté de juger* : première partie, livre II, § 53. Ingres, J.A.D., « Notes et pensées », *op. cit.*, p. 95-96. Boas, F., *Primitive Art*, Oslo, 1927, p. 29, 46-54 et *passim*. Benveniste, E., *Problèmes de Linguistique générale*, Paris, Gallimard, 1966, I, p. 327-355. Cabanne, P., *Entretiens avec Marcel Duchamp*, Paris, Belfond, 1967, p. 57-58.

XXIII

Diderot-D'Alembert, *Encyclopédie* : art. « Vannerie », « Mandrerie », « Closerie », « Faisserie », « Lasserie », *La Grande Encyclopédie*, Paris, 1885-1903 : art. « Vannerie ». Shackelford, R.S., « Legend of the Klickitat Basket », *American Anthropologist*, II, 1900, p. 779-780. Holmes, W.M., « A Study of the Textile Art, etc. », *Sixth Annual Report, Bureau of American Ethnology* (1884-1885), Washington, D.C., 1888, fig. 289, p. 199. Barrett, S.A., *Pomo Myths*. Milwaukee (Bulletin of the Public Museum, vol. 15), 1933, p. 380-382, 301-302, 124. Hill-Tout, Ch., *The Natives of British North America*, London, 1907, p. 113. Eells, M., *The Indians of Puget Sound. The Notebook, of...*, Univ. of Washington Press, 1985, p. 96. Heaberlin, H.K., & E. Gunther, « The Indians of Puget Sound », *University of Washington Publications in Anthropology*, 4/1, 1930, p. 33. Jacobs, M., « Kalapuya Texts », *ibid.* 11, 1945, p. 20, 25, 37-38. Haeberlin, H.K., J.A. Teit, & H.H. Roberts, « Coiled Basketry in British Columbia », *Fourty-first Annual Report, Bureau of American Ethnology* (1919-1924), Washington, D.C., 1928, p. 390. Sapir, E., « Wishram Texts », *Publications of the American Ethnological Society*, 2, Leyden, 1909, p. 35. Adamson, Th., « Folk-Tales of the Coast Salish », *Memoirs of the American Folk-Lore Society, XVII*, New York, 1934, p. 254. Ballard, A.C., « Mythology of Southern Puget Sound », *University of Washington Publications in Anthropology*, 3/2, 1929, p. 104. Boas, F., « Zur Mythologie der Indianer von Washington und Oregon », *Globus*, 63, 1983. Jacobs, M., « Northwest Sahaptin Texts », *Columbia University Contributions to Anthropology*, 19/1-2, 1934, p. 188-189. Cadogan, L., « Ayvu Rapita, etc. », *Antropologia 5, Boletim 227*, Universidade de São Paulo, 1959, p. 82. Clastres, P., *Le Grand Parler*, Paris, Seuil, 1974, p. 76-77. Magalhaes, Couto de, *O Selvagem*, 4ᵉ éd., São Paulo, Biblioteca Pedagogica Brasileira, 1940, p. 233. Hissink, K. & A. Hahn, *Die Tacana. I. Erzählungsgut*, Stuttgart, 1961, p. 367, 85, 226. Toth, N., D. Clark & G. Ligabue, « The Last Stone Ax Makers », *Scientific American*, July 1992, Ikeda, H., *A Type and Motif Index of Japanese Folk Literature* (FF Communications, vol. LXXXIX, n° 209), Helsinki, Academia Scientiarum Fennica, 1971, p. 326 B, C, G. Yanagita, K., *Japanese Folk Tales*, Tokyo News Service, 1966, p. 60-61. Baudelaire, Ch., *Œuvres complètes, op. cit.*, p. 213-214.

XXIV

Walker, J.R., *Lakota Belief and Ritual*, University of Nebraska Press, 1991, p. 165-166. Boas, F., « Tsimshian Mythology », *Thirty-first Annual Report, Bureau of American Ethnology* (1909-1910), Washington, D.C., 1916, p. 555, 152-154. Seguin, M. (ed.), *The Tsimshian. Images of the Past. Views for the Present*, Vancouver, University of British Columbia Press, 1984, p. 164, 287-288. Boas, F., « The Nass River Indians », in *Report of the British Association for the Advancement of Science for 1895*, p. 580. Swanton, J.R., « Haida Texts », *Memoirs of the American Museum of Natural History*, vol. XIV, New York, 1908, p. 457, 489 ; « Tlingit Myths and Texts », *Bulletin 39, Bureau of American Ethnology*, Washington, D.C., 1909, p. 181-182.

Table des matières

Photocomposition
PFC à Dole

Achevé d'imprimer en juillet 1993
dans les ateliers de Normandie Roto Impression s.a.
61250 Lonrai

N° d'éditeur : 12235
N° d'imprimeur : I3-1504
Dépôt légal : avril 1993

Imprimé en France